MAE'

Mae'n anodd weithiau

Ioan Kidd

Gomer

I Ffion, Ioan a Sam

Cyhoeddwyd yn 2009 gan
Wasg Gomer, Llandysul, Ceredigion, SA44 4JL
www.gomer.co.uk

ISBN 978 1 84851 065 4

Dymuna'r cyhoeddwyr gydnabod cymorth
Cyngor Llyfrau Cymru.

Argraffwyd a rhwymwyd yng Nghymru gan
Wasg Gomer, Llandysul, Ceredigion.

1

Dyw byw gyda rhieni byth yn hawdd, yn arbennig felly pan dy'n nhw ddim yn gwybod yn iawn sut i fyw gyda'i gilydd. Dyna pryd mae pethau'n gallu troi'n ffradach a dyna pryd mae rhywun eisiau gweiddi 'calliwch' neu 'tyfwch lan' dros bob man. Naill ai hynny neu ddiflannu o'u golwg am sbel nes eu bod nhw *wedi* callio neu *wedi* tyfu lan. Mae'n gweithio bob tro. Gadael llonydd iddyn nhw ymdrybaeddu yn eu pwds yw'r gyfrinach a rhoi cyfle iddyn nhw deimlo'n grac cyn iddyn nhw ddod o hyd i ffordd o arbed wyneb a dringo mas o'u twll. Swnio'n gyfarwydd? Yr unig anhawster, ac mae hyn yn rhywbeth i'w osgoi os yn bosib, yw eu bod nhw weithiau'n dechrau joio ac yn cael blas ar eu pwds. Nawr mae hynny'n mynd â ni i dir gwahanol! Dyna dwi wedi'i ffindo, beth bynnag.

Arian sydd i gyfrif am lawer o'u problemau. Dwi'n eithaf siŵr o hynny. Maen nhw wastad yn achwyn am bris rhywbeth, yn enwedig fe. Mae fy nhad yn un o'r bobl yma nad yw erioed wedi deall ystyr y gair 'chwyddiant'. Mae e'n meddwl bod prisiau wedi'u rhewi rywle yn y ganrif ddiwethaf, mewn mileniwm arall, fel llawer o'i syniadau eraill hefyd. Yr un diffyg yn ei bersonoliaeth sy'n gwneud iddo gwestiynu maint y bil bwyd wythnosol fel petai fy chwaer, fy mrawd a minnau'n mynd ati'n fwriadol i fwyta'n ffordd trwy fynydd o sothach er mwyn ei sbeitio'n bersonol! Mae e'n anghofio bod Catrin yn ddwy ar bymtheg oed a bron iawn yn fenyw! Ac mae gen innau fy anghenion! Mwy nawr nag erioed, er fy mod i dair blynedd yn iau na hi.

Mae fy ffrind Ems yn grediniol taw rhyw sydd wrth wraidd problemau fy rhieni. Ond mae rhyw wrth wraidd popeth i Ems! Dyna'i esboniad am lawer o bethau y dyddiau hyn, yn enwedig ers iddo 'ddod mas'. Wel 'dod mas' i fi, beth bynnag. Dyw e ddim wedi sôn wrth neb arall, er bod pawb yn yr ysgol yn gwybod ers Blwyddyn Saith, dwi'n siŵr! Wna i byth anghofio'r diwrnod y soniodd e wrtha i.

'Anji, (Angharad yw fy enw go iawn ond dyna mae Ems wedi fy ngalw erioed ac mae'n hala colled ar Mam-gu) mae 'da fi rwbeth i' weud wrthot ti, rhwbeth pwysig, a sa i'n moyn gorfod gweud y geirie achos . . . wel, achos fe alle beth sy 'da fi i' weud newid popeth rhynton ni.'

Edrychais i fyw ei lygaid ac roeddwn i'n gwybod fod hon yn eiliad fawr i'm ffrind. Roeddwn i'n gwybod ei bod yn eiliad fawr i minnau hefyd ac er nad oeddwn i'n hollol sicr beth oedd ar fin cael ei gyhoeddi, roedd gen i amcan go lew, a dweud y gwir. Pan ddaeth y cyhoeddiad roedd y rhyddhad yn anferthol.

'Anji, fi'n hoyw!'

Sefais yno'n syllu arno heb fedru meddwl am ddim byd call i'w ddweud, ond roeddwn bron â marw eisiau dod o hyd i'r geiriau iawn i'w helpu. Roedd y mudandod rhyngon ni fel oes. Dychmygwch sut roedd Ems yn teimlo! Roedd e wedi mentro popeth. Wedi dewis ymddiried ynof i. Yn y diwedd, fel sy'n digwydd yn aml ar adegau mawr fel hyn, allwn i ddim meddwl am ddim byd o werth i'w ddweud.

'Ti'n hoyw? Ti'n siŵr?' meddwn yn llipa reit.

'Odw, hoyw *as hell*, cariad, ond paid â gofyn imi fanylu!'

'Dere 'ma!' Cofleidion ni ein gilydd ac fe lefon ni'n dau am bum munud yn ddi-baid. Ems yw fy ffrind gorau yn y byd ac rwy'n meddwl y byd ohono fe.

Ry'n ni'n adnabod ein gilydd erioed, wel ers yr ysgol feithrin, ta beth, ac mae hynny yr un peth ag erioed mewn gwirionedd achos dwi ddim yn gallu cofio llawer cyn hynny. Roedd Mam *a* Dad wedi mynd â fi i'r ysgol ar fy niwrnod cyntaf. Mae fy rhieni wastad wedi bod yn eithaf cywir fel'na, yn rhannu'r cyfrifoldebau, yn mynnu bod yno gyda'i gilydd ymhob digwyddiad o bwys fel nad yw'r naill yn cael mwy neu lai o fantais na'r llall. Maen nhw'n ddosbarth canol iawn yn hynny o beth. Ar ôl dyddiau o baratoi a sôn am yr holl hwyl a sbri oedd yn fy nisgwyl yn yr ysgol (roedden nhw hyd yn oed wedi perswadio Catrin i ganu clodydd Mrs Offenbach a fyddai'n gofalu amdana i ac yn fy nysgu yn ei Chymraeg rhyfedd, didreigladau am ddwy flynedd nesaf fy mywyd), roeddwn i'n edrych ymlaen at fynd ac at gwrdd â'r plant eraill. Aeth popeth yn ôl eu cynllun am yr hanner awr gyntaf a sylwais i ddim fod Mam a Dad wedi mynd, ond pan ddaeth bachgen penfelyn ataf a dwyn Cadi, fy nghi bach glas, fe ddechreuais i lefain yn afreolus. O edrych yn ôl, mae'n debyg fod llefain wedi bod yn elfen weddol amlwg o berthynas Ems a fi. Wel, fe ges i Cadi 'nôl ar ôl brathu'r bachgen yn galed, ac am ddyddiau wedyn roedden ni'n casáu ein gilydd. Ond un diwrnod daeth e i chwarae gyda fi yn y tŷ bach twt, ac yn sydyn roedden ni'n deall ein gilydd. O'r diwrnod hwnnw ry'n ni wedi bod yn ffrindiau pennaf.

Mae'n debyg taw dyna sut mae cariadon yn cwrdd, nid bod Ems a fi yn gariadon, er bod Mam-gu'n mynnu holi bob amser am fy '*young man* bach'! Tasai hi ond yn gwybod! On'd yw hi'n od sut mae pobl yn dod at ei gilydd? Mae rhywun yn darllen o hyd am bobl yn syrthio mewn cariad dros eu pen a'u clustiau yn y fan a'r lle a bod 'na frân i bob brân yn rhywle. Ond sut mae rhywun i fod i adnabod y frân sydd ar ei gyfer? Ac mae cymaint llai o frain Cymraeg yn y byd na rhai Tsieineeg neu rai Saesneg neu rai Sbaeneg. A tasech chi'n frân Gernyweg fyddai dim gobaith caneri gyda chi! Mae'r holl beth braidd yn fympwyol hyd y gwelaf i, fel damwain amser a lle. Mewn amgylchiadau eraill a fyddai'r un bobl yn cwrdd â'r un rhai? A fydden nhw'n dod o hyd i'r un arbennig gan taw dyna sydd i fod i ddigwydd? 'Trefn rhagluniaeth' fel 'se Mam-gu'n ei ddweud. A phan mae'r pwll yn fach iawn ydy pobl yn dal i gwympo mewn cariad neu ydyn nhw'n cwrdd ar hap ac yn dysgu sut i garu ei gilydd? Bydd Ems a fi'n trafod hyn yn aml, yn amlach y dyddiau 'ma. Ac os yw pobl yn cwympo *mewn* cariad â'i gilydd mae'n debyg eu bod nhw'n gallu llithro *mas* o gariad hefyd, fel yn achos Mam a Dad. Maen nhw'n meddwl, yn gobeithio, nad ydyn ni wedi sylwi.

'Wrth gicio a brathu mae cariad yn magu.'

Dyna un o hoff ddywediadau Ems a bydda i bob amser yn chwerthin wrth ei glywed yn dweud y geiriau. Mae e'n swnio mor ddwys ac mor hen-ffasiwn. Bydda i wastad yn ei atgoffa o'r amser yn yr ysgol feithrin pan frathais i fe am ddwyn Cadi, ac yna byddwn ni'n chwerthin mwy. Dwi'n gobeithio na fydd yr hyn sy'n digwydd i Mam a Dad yn digwydd i Ems a fi.

2

Dwi ddim yn siŵr faint mae fy mrawd bach yn ei weld o'r busnes 'ma rhwng Mam a Dad. Dwi'n dweud 'brawd bach' ond mae Rhodri'n un ar ddeg ac yn ddigon hen i sylwi ar bethau, does bosib! Newydd ddechrau yn yr ysgol uwchradd mae e, yr un ysgol â fi, a'r unig beth sy'n mynd â'i fryd y dyddiau hyn yw ei ffrindiau newydd a chadw ei le yn nhîm pêl-droed Blwyddyn Saith. Mae e'n bêl-droediwr dawnus iawn, wastad wedi bod. I Dad mae'r diolch am hynny, i ryw raddau, achos mae e bob amser wedi bod yn barod i deithio milltiroedd i fynd â fe i chwarae mewn rhyw gynghrair ddi-nod yn nhwll tin y byd neu i gael gwersi am naw o'r gloch fore Sadwrn pan fydd pawb arall yn y tŷ eisiau aros yn y gwely ond yn methu achos bod y ddau yna'n benderfynol o ddihuno'r gweddill ohonon ni â'u sŵn. Dyna dwi'n ei gasáu am Rhodri ar hyn o bryd, mae e mor frwdfrydig. Dyw e ddim yn naturiol. Dwi'n dyheu am y diwrnod pan fydd e ym Mlwyddyn Naw ac yn normal!

Fydd e a Dad byth yn colli gêm pan fydd yr Elyrch yn chwarae gartref. Mae'n ymylu ar fod yn obsesiwn. Ychydig cyn i'r stadiwm newydd agor rai blynyddoedd yn ôl, roedd y ddau'n arfer mynd i lawr yn y car ac eistedd mas tu fas am oriau yn edrych ar yr adeilad. Edrych ar yr *adeilad*! Trafod y cyfleusterau newydd, dweud cymaint gwell na'r Vetch y byddai'r maes newydd ond poeni na fyddai'r naws cystal. Trist neu beth! Barça yw ei hoff dîm yn y byd ond byddai angen mwy na chyflog fy rhieni i fynd â fe i fanna bob yn ail benwythnos! Er . . .

Mae Rhodri a Dad yn agos iawn. Dwi innau a Dad yn agos, ond mae rhyw berthynas arbennig rhyngddo fe a Rhodri. Ambell waith bydda i'n genfigennus o'r hyn sydd ganddyn nhw. Rhyw ddeall di-eiriau. Ond ar yr un pryd dwi'n wirioneddol falch pan dwi'n eu gweld nhw'n gwneud cymaint â'i gilydd. Dwi'n cofio sôn am hyn wrth Ems unwaith a chael fy siomi gan ei ymateb, neu ei ddiffyg ymateb ddylwn i ddweud. Ar y pryd roeddwn i'n grac gyda fe am fod mor fyfïol. Fi, fi, fi! Mae e'n gallu bod fel'na ar adegau. Ond ar ôl ystyried y peth, dwi'n deall pam nawr. Y peth yw, does dim llawer yn gyffredin rhwng Ems a'i dad. Does dim llawer o Gymraeg rhyngddyn nhw. Dwi'n credu weithiau fod ganddo fe fwy i'w ddweud wrth fy nhad i.

Roedd Rhodri a fi'n arfer siarad â'n gilydd dipyn mwy ond mae popeth fel petai'n newid y dyddiau 'ma. Mae hynny'n wir am lawer o bethau yn ddiweddar. Yr unig amser y byddwn ni'n trafod unrhyw beth o bwys erbyn hyn yw yn ystod y pum munud o daith o'r tŷ i ddala'r bws i'r ysgol yn y bore, a dyw pum munud ddim yn caniatáu trafodaeth ofnadwy o ddwys! Er, efallai bod hynny'n fendith o feddwl sut mae Rhodri'n ymddwyn. Unwaith y byddwn ni'n cyrraedd yr arhosfan bydd e'n mynd i sefyll ddeg metr oddi wrtha i ar y pafin nes bod y bws yn dod er nad oes enaid o neb yno heblaw ni'n dau. Mae fel petai e'n meddwl bod y gwahanglwyf arna i! Mae'n bathetig, ond mae'n llai pathetig na Catrin. Dyw hi ddim yn dod gyda ni o gwbl mwyach. Mae Catrin yn caru gyda rhyw fachgen o'r Chweched Uchaf ac mae ganddo fe gar. Mae ei deulu'n drewi o arian, yn ôl pob sôn. Dwi erioed wedi siarad â fe ond galla i ddweud wrth ei olwg ei fod e'n goc oen. Doeddwn i erioed wedi clywed y dywediad hwnnw o'r blaen nes i Ems ei ddweud e un diwrnod. Roedd e wedi'i glywed ar ryw gyfres ddrama o'r Gogledd ar S4C ac wedi syrthio mewn cariad 'â sŵn y geiriau', meddai fe. Am wythnos gyfan, coc oen oedd pawb nad oedd yn digwydd cytuno ag e ynghylch rhywbeth neu'i gilydd. Ac roedd hynny'n golygu bod 'na ddiadell o'r rheiny erbyn y dydd Gwener! Ond mae e wedi rhoi'r gorau i ddweud hynny ers tro.

Ta beth, y bachgen yma, Ben, yw cariad cyntaf Catrin a'r ffordd mae hi'n ymddwyn gallech chi dyngu nad oes neb arall erioed wedi llwyddo i fachu dyn o'r blaen. Mae hi wedi mynd yn ofnadwy o *femme fatal*-aidd yn sydyn reit. Wrth gwrs, act yw'r cyfan. Clemau Catrin. Dwi ddim yn ddigon pwysig iddi rannu ei dirgelion na'i hargyfyngau â fi. Dwi ddim yn ddigon aeddfed i ddirnad materion o'r fath gan nad ydw i ond pedair ar ddeg oed! Ond y gwir amdani yw nad oes gen i'r un gronyn o ddiddordeb yn ei hanesion bach ych a fi, a dwi heb newid fy meddwl amdano fe, Ben, chwaith.

Mae'n amlwg ei bod hi'n dweud rhywfaint wrth Mam ond faint yn gwmws, dwi ddim yn siŵr. Mae Mam a Catrin wastad wedi gwneud tipyn â'i gilydd. Mae'r ddwy ohonyn nhw newydd ymuno â chlwb ioga yng Nghastell-nedd ac mae clywed fy chwaer yn sôn am hynny'n hala'r pych arna i.

'Allen i ddim byw heb y dosbarth ioga. Dyna'r unig ffordd dwi'n gallu ymlacio y dyddie 'ma!'

Mae'n dweud cyfrolau am Big Ben!

Yn ôl Mam, mae lot ar feddwl Catrin, rhwng ei harholiadau a phopeth, a dyna pam mae hi'n mynd gyda hi bob nos Fawrth i Gastell-nedd, i'w helpu i ymlacio ac ymdawelu, meddai hi. Ond, am hanner awr wedi chwech, Mam yw'r un fydd yn sefyll yn y cyntedd yn ei thracwisg newydd ac allweddi'r car yn ei llaw yn disgwyl i Catrin ymddangos o'i stafell wely. Dwi'n becso am Mam weithiau. Dwi ddim yn hoffi ei gweld hi mor frwd. Mae hi'n rhy awyddus, yn gwneud gormod o ymdrech, fel petai hi'n trio rhedeg oddi wrthi hi ei hun, a dyw hynny ddim yn ei siwtio.

Nos Fawrth yw un o'r ychydig nosweithiau nad yw Rhodri'n chwarae pêl-droed neu'n cael gwersi pêl-droed neu'n cael pêl-droed ar dost i de, ac ar ôl i Catrin a Mam fynd i ioga, neu i 'iogwrt' fel mae Rhodri'n mynnu dweud (doniol iawn, Rhod), bydd e, Dad a fi yn y tŷ gyda'n gilydd. Mae Dad yn wahanol ar nos Fawrth. Mae e'n chwerthin yn amlach ac mae'n fwy siaradus. Os bydd Ems yn gofyn imi fynd draw i'w dŷ e, bydda i wastad yn gwrthod ar nos Fawrth. Dwi ddim yn gwybod pam yn gwmws, ond dyna dwi'n ei wneud. Dwi eisiau bod gartref gyda Dad. Mae rhywbeth *déjà vu*-aidd am y nosweithiau hynny. Nid dyna yw e chwaith; mae'n anodd esbonio. Mae fel cynilo arian, rhag ofn. Fel rhoi amser yn y banc. Weithiau bydda i'n gwylio Dad yn rhoi cwtsh i Rhodri ar y soffa neu'n ei helpu gyda'i waith cartref. Mae ganddo fe fôr o amynedd. Neu bydda i'n lolian yn fy hoff gadair yn esgus gwylio'r teledu gyda nhw, ond bob hyn a hyn bydda i'n taflu cip ar y ddau, a'u gweld nhw wedi ymgolli mewn rhyw raglen wirion, ac yn sydyn bydd eu siapiau'n troi'n bŵl a bydda i'n gorfod eu gadael a mynd lan i'm stafell wely. Dwi'n treulio lot o amser yn fy stafell wely yn ddiweddar. Yng nghanol fy mhethau, yn cwtsio Cadi. Ydy, mae Cadi gyda fi o hyd er ei fod e wedi gweld dyddiau gwell. Dyw hi ddim bob amser yn hawdd rhoi trefn ar y cyfan. Mam a Dad, Rhodri a Dad, Catrin a Mam. Beth am Angharad a Mam neu Angharad a Dad? Ble dwi'n ffitio?

'Helô! Dwi'n bodoli hefyd!' Ond 'sneb yn cymryd sylw ohono i! Dyna dynged y plentyn canol ym mhobman, mae'n debyg.

3

Oh my God! Choeliwch chi byth. Mae Ems wedi lliwio'i wallt yn ddu! Yn ddu bitsh. A dyw e ddim wedi stopio gyda'i wallt. Mae e wedi gwneud ei lygaid hefyd, yr amrannau. Reit rownd yr ymylon. Buodd e'n sôn am wneud hyn ers wythnosau ond wnes i erioed feddwl y byddai fe'n bwrw ymlaen â'i fygythiad chwaith, er, dylwn i adnabod fy ffrind yn well na hynny. Unwaith mae e'n cael syniad ysbrydoledig yn ei glop, dyna fe, does dim symud arno. Ta beth, ffoniodd e pa ddiwrnod yn llawn ffws a ffwdan yn crefu arna i i fynd draw ac i beidio â dweud gair wrth yr un copa walltog.

'Hyd yn oed wrth y rheina sy wedi lliwio'u gwallt yn ddu bitsh fel ti!' meddwn i.

'Ha blydi ha,' meddai fe.

Pam peidio â sôn wrth neb arall, dwi ddim yn gwybod achos unwaith y byddai'n dangos ei ben y tu allan i'r tŷ byddai pawb yn dod i wybod yn syth. Ond dyna'r broblem mae'n debyg, doedd e ddim yn gallu gadael y tŷ. Roedd gormod o gywilydd arno fe ac roedd e'n difaru ei enaid. Ond eto yn ystod yr un sgwrs dechreuodd e sôn am ba ddillad fyddai'n mynd gyda'r ddelwedd newydd, felly roeddwn i'n eithaf siŵr taw gorymateb oedd fy ffrind, fel arfer.

Felly draw â fi i weld y ddrychiolaeth. Mae'n rhaid imi ddweud, pan welais i fe gyntaf roeddwn i'n meddwl bod golwg y diawl arno. Y peth yw, mae Ems mor olau ac roedd yr olwg newydd yma mor dywyll. Roedd e'n edrych fel Goth! Ond ar ôl imi wneud llygaid bach a chraffu arno'n ofalus, fe ddes i'n gyfarwydd ag e ac mae'n rhaid dweud ei fod e'n edrych yn eithaf cŵl. Ond beth mae'r ysgol yn mynd i'w ddweud, dwi ddim yn gwybod. Bydd Mr Harris, Pennaeth Blwyddyn Naw, yn wallgof. A dyna fydd dechrau drama newydd arall ym mywyd Emyr Richards!

A sôn am ddrama, mae ganddo fe gynllun, meddai fe. Mae e'n mynd i esgus taw ar gyfer cael rhan yn nrama flynyddol yr ysgol y gwnaeth e'r cyfan. Rhyw fath o aberthu er mwyn celfyddyd, ond pam fod eisiau i rywun edrych fel Goth er mwyn cael rhan yn nrama *Merched Beca* dwi wir ddim yn gwybod, a dwi ddim yn credu y caiff neb arall ei argyhoeddi chwaith!

Mae ei dad yn gynddeiriog yn ôl pob sôn ac yn bygwth gwneud pob math o bethau. Felly mae Ems wedi dod i aros gyda'n teulu ni dros hanner tymor er mwyn rhoi amser i hwnnw dawelu. Doedd y daith draw i fan hyn ddim yn gwbl ddidrafferth, wrth gwrs, a rhwng protestiadau Ems bu'r ddau ohonon ni'n chwerthin fel ffyliaid. Diolch i Dduw ei bod hi'n Galan Gaeaf! O leiaf roedd y bobl ar y bws a'r cymdogion yn gallu credu ei fod e wedi gwneud ymdrech fawr i fynd i ysbryd yr ŵyl! Pan gerddon ni drwy'r drws roedd Mam a Dad yn amlwg yn meddwl yr un peth a dechreuon nhw ei ganmol am fod 'mor frwdfrydig dros nos cyn gaea'. Ar ôl i Ems egluro bod yr olwg newydd yn dipyn mwy parhaol na hynny dechreuodd y ddau chwerthin a rhoddodd Mam glamp o gwtsh iddo. Dwi'n sylweddoli nawr taw dyna oedd y tro cyntaf i'm rhieni chwerthin gyda'i gilydd ers tro byd. Fel'na mae Ems. Mae e fel chwa o awyr iach.

Roedd ymateb Rhodri a Catrin yn llai dramatig ac roedd hynny'n galondid i Ems ar y pryd ac yn help iddo anghofio y byddai'n gorfod wynebu pawb yn yr ysgol ar y dydd Llun cyntaf 'nôl. Roedd mwy o ddiddordeb gan Rhodri yn y paratoadau ar gyfer y parti Calan Gaeaf. Yn dawel bach dwi'n siŵr ei fod e'n edmygu gwreiddioldeb Ems. Roedd hyd yn oed Catrin yn rhan o'r hwyl hyd nes i Ben alw. Unwaith mae hwnnw'n ymddangos mae Catrin yn newid yn llwyr ac yn dechrau ymddwyn fel rhywun arall. Mae hi'n hala fi'n dost. Y llynedd, hi oedd yn bennaf cyfrifol am y trefniadau ac edrychwch arni nawr! Dyw Ben ddim yn gallu ymdopi ag Ems o gwbl, ond ei broblem e yw honno. Mae e mor ddirmygus, chi'n gallu ei weld e ar ei wep e; ond tasai fe ond yn gwybod be' dwi'n ei feddwl ohono *fe*!

Fuon nhw ddim gyda ni'n hir cyn gadael am noson o ramant. Siŵr o fod mynd i syllu ar y sêr yn pefrio dros Fae Abertawe trwy ffenest flaen car y coc oen, mewn maes parcio diflas yn y Mwmbwls. Wedi iddyn nhw adael dechreuodd y gweddill ohonon ni ymlacio a chael hwyl. Roedd Mam a Dad yn wych. Roedd Mam wedi prynu llond cwdyn anferth o afalau ac aeth

Dad i'r garej i nôl y bowlen fawr mae'n ei defnyddio fel arfer i olchi'r car. Yna, llenwodd hi â dŵr a'i dodi ar ford y gegin. Diflannodd Mam i rywle am bum munud o leiaf, a phan ddaeth hi 'nôl i'r gegin roedd hi'n cario llond hambwrdd o siocled, taffis a diodydd. Daeth Rhodri i mewn yn syth ar ei hôl yn dala pwmpen â channwyll wedi'i chynnau yn y canol. Roedd e wedi bod wrthi drwy'r dydd, mae'n debyg, yn diberfeddu'r bwmpen ac yn torri siâp wyneb ffyrnig ynddi. Yna, dododd Dad yr afalau i arnofio yn y bowlen ac egluro'r rheolau er bod pawb yn hen gyfarwydd â nhw. Gofynnodd e i bawb oedden nhw'n deall, a gofyn yr eildro i Rhodri achos dyw fy mrawd ddim yn gallu chwarae dim byd heb dwyllo! Yna, dechreuon ni. Wel, sôn am hwyl! Roedd Dad yn arbennig o dda ac roedd pawb yn tynnu ei goes ac yn ei gyhuddo o fod â mantais dros bawb arall am fod ei geg mor fawr. Yr un gwaethaf o bell ffordd oedd Ems, oedd yn poeni mwy am wlychu ei wallt – ei greadigaeth newydd! Roedd e'n anobeithiol, ond roedd e'n gallu gwerthfawrogi'r ochr ddoniol a wnaeth e ddim digio wrth neb am chwerthin am ei ben. Dechreuodd Mam ganu rhyw gân uffernol am 'nos cyn gaea, twco fala, fi a'm sboner mas yn whara' ac roedd cywilydd arna i nes imi weld bod Ems yn dwlu ar y cyfan, ac yna dechreuais innau chwerthin gyda'r lleill am ben llais gwirion Mam. Cyn bo hir roedd llawr y gegin yn wlyb diferol. Roedd dŵr ym mhobman ond doedd dim ots gan fy rhieni. Doedd hynny ddim yn bwysig. Yr eiliad honno doedd dim byd mor bwysig â mwynhau'r parti gyda'n gilydd.

Pan ddaeth y gêm i ben aeth pawb ati i gael trefn ar y gegin unwaith eto ac aethon ni drwodd i'r lolfa i wylio *Addams Family Values* ar y DVD. Roedd hyd yn oed Mam yn fodlon gwylio. Ac fe stwffon ni'n cegau â'r taffis a'r afalau a'r siocled a'r ddiod, ac fe sgrechon ni yn y mannau cywir ac fe guddion ni ein hwynebau yn y mannau mwyaf brawychus ac fe wnaeth pawb y pethau roedd disgwyl iddyn nhw eu gwneud. A doedd dim un cwmwl i darfu ar y perffeithrwydd.

Roedd hi'n hwyr arnon ni'n mynd i'r gwely ond doedd dim tamaid o chwant cysgu arna i pan aethon ni lan llofft. Clywais i Catrin yn cyrraedd adref a Mam yn dweud y drefn wrthi am fod mor hwyr. Clywais i Dad yn cloi drws y ffrynt ac yn diffodd pethau lawr llawr. Clywais i sŵn y dŵr yn llifo yn y stafell ymolchi a drysau'r stafelloedd gwely'n cau yn eu tro. Roedd Ems yn siŵr o fod yn cysgu fel mochyn ar y fatras wrth droed gwely Rhodri. (Roedd e'n arfer cysgu ar fatras yn fy stafell innau, ond newidiodd hynny pan ddechreuon ni yn yr ysgol uwchradd.) A bues i'n gorwedd ar ddi-hun am oriau. Doeddwn i ddim am i'r bore ddod a chwythu ei anadl oer ar fy wyneb.

Dwi ddim yn gallu cofio Mam a Dad yn mwynhau gymaint. Efallai fod pethau'n wahanol pan oedden ni'n fach. Dwi ddim yn gwybod. Ond dwi'n sylwi ar fwy a mwy o bethau y dyddiau hyn. Mae'n od on'd yw hi, ond unwaith mae rhywun yn gweld rhywbeth unwaith mae'n mynnu brigo i'r golwg o hyd ac erbyn yr eildro a'r trydydd tro mae'n dod yn gliriach. A'r peth mwyaf dwi wedi sylwi arno yw nad oes gan fy rhieni ffrindiau. Wel neb gwerth sôn amdano, beth bynnag. Bydd Anti Delyth yn galw weithiau a bydd Linda, sy'n gweithio gyda Mam, yn dod nawr ac yn y man. Mae Dad yn siarad dipyn â Keith drws nesaf, ond fel arall does ganddyn nhw neb hyd y gwn i. Neb agos. Efallai taw dyna pam maen nhw fel maen nhw – am nad oes ganddyn nhw neb ond ni. A dyw hynny ddim yn iawn. Dyw e ddim yn deg â ni yn un peth. Ond mae'n llai teg â nhw, does bosib! Mae rhieni Ems yn ddigon rhyfedd, ond mae ganddyn nhw ffrindiau ac maen nhw'n ffraeo ambell waith. Ond dyw Mam a Dad ddim yn ffraeo'n agored a dy'n nhw byth yn gweiddi. Osgoi ei gilydd maen nhw – mae hynny'n waeth ac mae'n digwydd fwyfwy'r dyddiau hyn.

Bydda i'n gofyn imi fy hun weithiau tybed pryd dechreuodd pethau fynd o chwith? Pryd dechreuodd y pry yn y pren? Oedd e yno o'r cychwyn neu ai rhywbeth sy'n digwydd dros amser yw e, gan dyfu ac ymosod heb yn wybod i rywun? Fel tyfu'n hŷn. Fel tyfu'n orgyfarwydd. Fel tyfu ar wahân. Ai achos eu bod nhw wedi *gorfod* priodi mae hyn yn digwydd? Ai oherwydd Catrin? Maen nhw'n meddwl nad ydw i'n gwybod ond dwi wedi cyfrif y blynyddoedd ers iddyn nhw briodi a dwi wedi cyfrif y misoedd hefyd, a thrwch blewyn chwannen oedd hi cyn i Catrin gyrraedd! Neu a fyddai'r hyn sy'n digwydd i Mam a Dad wedi digwydd beth bynnag?

4

Argyfwng drosodd! Heddiw oedd y diwrnod cyntaf 'nôl yn yr ysgol ar ôl gwyliau hanner tymor ac aeth busnes y gwallt yn lled dda at ei gilydd. 'Llwyddiant ysgubol' oedd union eiriau Ems ond mae tueddiad fy nghyfaill i fynd dros ben llestri pan fydd hynny'n ei siwtio yn ddiarhebol. Lled dda, gweddol, go lew, ocê. Byddai pob un o'r rhain yn nes at ddisgrifiad cywir, ond allai neb honni bod y bennod liwgar ddiweddaraf hon yn ei hanes yn llwyddiant ysgubol. Wedi wythnos o boeni ynghylch ei ddelwedd newydd a sut y câi honno ei derbyn gan ei gyd-ddisgyblion, dyma agwedd Ems yn caledu dros y penwythnos, ac erbyn dydd Sul roedd e mewn hwyliau herfeiddiol. 'I'r diawl!' oedd ei ddewis eiriau bryd hynny. Roeddwn innau, felly, yn ffaelu aros i weld ymateb pawb y bore 'ma.

Pan gyrhaeddodd y bws yr ysgol am hanner awr wedi wyth, yn lle mynd i mewn drwy'r clwydi gyda'r lleill, es i gwrdd ag Ems ar bwys caffi Rossi ar y sgwâr, fel roedden ni wedi trefnu. Ar ôl ychydig o dawelu meddwl munud olaf (yn ôl y disgwyl) aethon ni lan i'r ysgol gyda'n gilydd, gan ddangos cymaint o hyder nes byddai Tom Cruise, Angelina Jolie a Catherine Zeta-Jones wedi troi eu pennau wrth iddyn nhw gerdded ar hyd y carped coch yn seremoni'r

Oscars. Ond, er mawr siom i Ems, doedd ein perfformiad ddim yn ddigon Hollywoodaidd i droi pen yr un o'n cyd-ddisgyblion. Cafodd e well lwc ar ôl inni gyrraedd y stafell ddosbarth. Mae Ems a fi yn yr un dosbarth cofrestru a phan ymunon ni â'r lleill bum munud ar ôl i'r gloch ganu, cafodd e'r ymateb roedd e wedi dyheu amdano. Chwerthin wnaeth y rhai sydd bob amser yn chwerthin ond ymateb ffafriol gafodd e gan y rhan fwyaf. Mae'n rhaid nodi fan hyn fy mod i'n reit hoff o'r criw yn ein dosbarth cofrestru. Heblaw am ambell ben bach (ac mae un neu ddau o'r rheini ym mhob dosbarth) mae'r mwyafrif yn iawn. Ac roedd Miss Penri wrth ei bodd ac yn llawn canmoliaeth. Miss Penri yw un o'r athrawon mwyaf cŵl yn yr ysgol a dwi'n siŵr y byddai hi wedi gwneud rhywbeth tebyg pan oedd hi'n arfer bod yn ddisgybl.

Wel, ar ôl sylwadau cadarnhaol Miss Penri a'r rhan fwyaf o'r dosbarth cofrestru, dyma Ems yn cael ail wynt a bant â fe'n theatraidd i'r neuadd gyda'r gweddill ohonon ni i glywed Bombo'r prifathro'n ein rhybuddio, yn ôl ei arfer, i beidio â gwastraffu'r hanner tymor am fod arholiadau'n gynnar yn y flwyddyn newydd. Anogodd e bawb i wneud eu gorau i beidio â llithro ar ei hôl hi gyda'u gwaith cartref a phwysleisiodd na ddylai neb adael yr adolygu tan y funud olaf . . . bla, bla, bla! Erbyn hynny, roedd unrhyw glemau glam a oedd gan Ems gynt wedi hen ddiflannu. Ar y ffordd o'r neuadd, wedi ugain munud o ddiflastod pur yn gorfod gwrando ar berlau Bombo, dyma Mr Harris, Pennaeth Blwyddyn Naw, yn galw

Ems, a welais i mohono wedyn tan amser egwyl. Collodd e'r wers gyntaf i gyd a'r ail wers oedd Ymarfer Corff, a bu'n rhaid aros tan ar ôl honno i glywed y cwbl ganddo.

'Fe wnaeth e fygwth ffono'n rhieni a hala fi ga'tre. Dychmyga!' oedd protest agoriadol Ems.

'Naddo! Beth wedest ti wrtho fe?'

'Dechreues i ddadlau 'da fe fod du yn lliw hollol dderbyniol ac y bydde fe'n wahanol 'sen i 'di lliwo 'ngwallt yn wyrdd neu'n biws.'

'Beth wedodd e wedi 'ny?' (Mae wastad yn syniad da cadw unrhyw gwestiynau'n fyr ac i'r pwynt pan mae Ems yn brygowthan.)

'Wel, o'dd dim lot alle fe weud, ond o'dd hi'n amlwg i fi nad o'dd e'n mynd i ildio. Felly, dyma fi'n cadw'r *pièce de résistance* tan y diwedd a sonies i am y ddrama a shwt o'n i'n gobeithio cael rhan yn *Beca* a shwt y bydde'r gwallt newydd yn gweddu'n berffaith i'r cyfnod.'

'Wnest ti ddim! Ti'n ofnadw! Shwt gadwest ti wyneb sobor?'

'Wir iti, Anji, o'n i'n meddwl 'mod i'n mynd i wlychu'n hunan. O'dd e mor ddoniol.'

'Ond wnaeth e ddim llyncu dy stori di?'

'Wel do, yn rhannol ta beth, *ond* . . . mae e'n mynd i drefnu 'mod i'n cael clyweliad amser cinio fory gyda'r Adran Ddrama. Mae'n debyg 'u bod nhw'n cael trafferth perswadio bechgyn i lenwi rhai rhanne.'

'Tybed pam?' meddwn innau, gan wybod yr ateb yn iawn a chan ddychmygu'r apêl i Ems ar yr un pryd.

'Wel, 'sdim tamed o ots 'da fi wisgo lan. Dysgu'r llinelle yw'r rhan ddiflas,' meddai hwnnw gan edrych arnaf yn amddiffynnol fel pe bawn i'n amau ei broffesiynoldeb a'i ymrwymiad i'w 'yrfa' newydd.

Ar hynny, canodd y gloch ac aethon ni am wers Mathemateg.

Drwy'r prynhawn byddwn i'n cael pyliau bach o chwerthin bob hyn a hyn wrth ddychmygu Ems yn trio argyhoeddi Mr Harris a hwnnw'n gweld reit drwyddo ac yn trefnu iddo fynd am glyweliad fory. Doniol iawn! Yr unig beth a'm cadwodd i fynd tan hanner awr wedi tri oedd edrych ymlaen at drafod ei dactegau dramatig gyda fe ar ôl mynd adref.

Newydd orffen siarad ag e ar MSN ydw i, ond doedd fawr o chwant trafod y clyweliad arnon ni. Chi'n gweld, mae popeth wedi troi'n hyll, yn wirioneddol hyll. Ar ei ffordd adref heno cafodd Ems neges ar ei ffôn symudol.

> GAYBOY. MRCHD SY LLIWO GWALLT, DIM BCHGN. PWFFTER!

Roedd yn fyr ac yn fygythiol a'r peth gwaethaf am y neges yw nad yw Ems yn gwybod pwy sydd wedi'i hanfon.

Yna, rhyw awr yn ôl, cafodd e neges arall, yr un mor ffiaidd. Nawr mae fy nghyfaill yn drist iawn iawn a dyw e ddim yn gwybod beth i'w wneud. A dwi innau ddim yn gwybod beth i'w wneud chwaith. Chi'n darllen am bethau fel hyn mewn cylchgronau o hyd ac o hyd, ond pan mae'n digwydd i'ch ffrind gorau, dyw hi ddim yn amlwg sut mae mynd ati i ddelio ag e. Mae Ems yn gwrthod dweud wrth ei rieni. Mae e'n ffaelu, meddai fe, a dwi'n gallu deall hynny. Mae e'n gwrthod dweud wrth yr athrawon, felly dim ond fi sy'n gwybod. Dwi eisiau mynd draw i'w gartref i fod gyda fe, ond mae'n mynd yn hwyr a byddai Mam a Dad eisiau gwybod pam fy mod i'n mynd. Mae mynydd o waith cartref gyda fi a dwi ddim yn gwybod sut i'w helpu, ta beth. Yr unig beth dwi'n ei wybod heno yw fod fy nghyfaill yn cael ei fygwth a bod ei fyd dipyn yn llai cynnes nag oedd e bedair awr yn ôl.

5

Doedd Ems ddim yn yr ysgol heddiw. Arhosais i amdano wrth y glwyd tan ar ôl i'r gloch ganu ond doedd dim golwg ohono, a doedd e ddim wrth ei ddesg pan gyrhaeddais i'r dosbarth cofrestru chwaith. Drwy gydol y wers gyntaf roeddwn i'n hanner disgwyl iddo ffrwydro trwy'r drws yn ei ffordd arferol â llond ceg o esgusodion gwreiddiol ac anhygoel yn esbonio pam roedd e'n hwyr, ond ddaeth e ddim. Amser cinio, es i chwilio amdano. Llwyddais i sleifio o dir yr ysgol a rhuthro draw i gaffi Rossi ar y sgwâr rhag ofn ei fod yno â'i ben yn ei blu, ond doedd e ddim. Anfonais i sawl neges destun ato yn crefu arno i hala gair yn ôl, ond wnaeth e ddim. Triais ei ffonio ond roedd y ffôn wedi'i ddiffodd. Nawr dwi'n gwybod pam. Newydd ddod o'i dŷ ydw i. Es i yno ar ôl ysgol i weld a oedd e'n iawn a doedd e ddim. Dyw e ddim.

Ychydig ddyddiau 'nôl, ar ôl i flas y negeseuon cyntaf adael ei ben, roedd pethau'n argoeli'n dda. Yn ei ffordd ddihafal ei hun fe frwydrodd e 'nôl. Aeth i'r clyweliad a chafodd ran yn y ddrama, a mawr fu'r chwerthin a mawr fu'r dathlu yn ein dosbarth ni. Yn ôl y disgwyl, bu pawb yn tynnu ei goes yn ddidrugaredd, a minnau yn eu plith, ond hwyl oedd y cyfan. Mae pawb yn wirioneddol falch drosto. Dyna'r peth am

Ems, does ganddo fe ddim gelynion . . . wel, doedd ganddo fe ddim gelynion, tan nawr.

Neithiwr cafodd neges arall, yr un mor ych a fi.

GAYBOY. GWRANDA. TN MND I ROIR GORE IR DDRAMA. NAWR! SDIM LLE I PWFFTERS BACH FEL T MEWN PETHE FELNA.

Fel y dywedodd Ems, roedd hynny'n dangos twpdra affwysol ac anwybodaeth lwyr o fyd y theatr! Ceisiodd e fod yn ddidaro ond gallwn weld taw act oedd y cyfan a dywedais wrtho y byddai'n rhaid iddo roi gwell perfformiad na hynny o flaen ei gyd-ddisgyblion ar y diwrnod mawr, ond wnaeth yr un ohonon ni chwerthin. Nawr mae e'n sôn am roi'r ffidil yn y to a chadw ei ben i lawr. Ymdoddi yn y dorf. Mynd o ddydd i ddydd. Ond dyw Ems erioed wedi bod yn un o'r dorf a fydd e byth chwaith. Mae e wastad wedi bod yn wahanol i bawb arall, ond y gwahaniaeth bellach, mae'n debyg, yw ei fod e'n gwybod hynny.

Amser maith yn ôl roedd 'na wlad lle roedd pawb yn hapus ac yn llon. Ymysg y trigolion roedd 'na rai mawr a rhai bach, rhai brown a rhai gwyn, rhai tew a rhai tenau, rhai oedd yn arweinwyr wrth reddf a rhai oedd yn barotach i ddilyn. Ac er bod pawb yn wahanol, roedd pawb yn byw'n gytûn gan barchu ei gilydd. Dyna yn wir oedd eu cryfder. Un diwrnod daeth dieithryn i'w plith a chafodd groeso mawr gan y bobl hyn, ond o dipyn i beth dyma'r dieithryn yn bwrw ei hud drostyn nhw am ei fod e'n garismataidd iawn ac roedd y bobl yn hawdd eu swyno am eu bod mor ddiniwed. Cyn pen fawr o dro, câi ei weld yn siarad â grwpiau bach ohonyn nhw yn slei bach ac weithiau'n sibrwd yn eu clustiau. Yn fuan wedi hynny, dechreuodd y bobl sylwi ar eu gwahaniaethau a phenderfynu nad oedd rhai agweddau, oedd gynt yn gryfderau, yn dderbyniol mwyach gan bawb. Ymhen hir a hwyr dyma'r dieithryn yn blino ar y bobl ac yn ymadael, ond fu'r wlad fach hapus a llon byth yr un fath ar ôl iddo fynd.

Dwi'n gwybod nad stori dylwyth teg fel y rhai roedden ni'n arfer eu clywed yn yr ysgol feithrin yw bywyd, ond pam na all pobl adael llonydd i'w gilydd?

Pan ofynnais hynny i Ems, codi ei ysgwyddau wnaeth e ac ysgwyd ei ben. Dwi erioed wedi'i holi'n iawn o'r blaen am fod yn hoyw a doedd e ddim am ei drafod gynnau. Fel y dywedodd e, rhywbeth personol yw e, *oedd e*, ac mae llawer mwy i Ems na bod yn hoyw. Ac mae'n wir. Mae mor wir. Ond wedyn, dywedodd nad bod yn hoyw oedd y broblem a'i fod e'n gwybod ers tro ac yn ymdopi'n berffaith â'r hyn yw e . . . tan nawr. Y broblem nawr oedd ei fod e'n gorfod ystyried sut y byddai eraill hefyd yn ei weld, a doedd e erioed wedi meddwl am hynny. Triodd e ddweud fod pwy bynnag oedd yn anfon y negeseuon wedi gwneud cymwynas ag e felly, ond es i'n grac ac atebais nad ei fusnes e, neu hi, oedd hynny. Dwi ddim yn meddwl bod Ems yn credu hynny chwaith. Chwilio am friwsion oedd e. Chwilio am resymau dros ymddygiad pobl eraill. A'r cam nesaf fydd trio

newid er mwyn eu siwtio nhw, er mwyn bod yn un o'r
dorf. Ond nid Ems fydd Ems wedyn, a dyw hynny
ddim yn iawn.

Dwi newydd gyrraedd adref, newydd fynd trwy'r
drws. Mae pawb yn y tŷ fel pob diwrnod, ond dyw e
ddim fel pob diwrnod arall. Dyna'r drwg. Mae rhan
ohono i wedi newid a dwi ddim yn gwybod beth i'w
wneud.

6

'Gwranda Ems, dwi'n mynd i'r dre fory ac rwyt ti'n dod gyda fi, reit!'

Bu tawelwch llethol am eiliadau hir ar ben arall y ffôn a bron na allwn glywed ei feddwl yn gorweithio wrth iddo chwilio am ffurf arall ar ei esgusodion tila.

'Fory. Un ar ddeg o'r gloch!' meddwn eto'n gyflym cyn iddo gael mwy o amser i feddwl. Ond gwrthod wnaeth e serch hynny.

'Sa i'n mynd i unman – gyda ti na neb arall.'

'Pam?'

'Shwt alla i ddod 'da ti i Abertawe a finne heb fod yn yr ysgol ers pythewnos? Bydd yn realistig, wnei di!'

'Felly, be ti'n mynd i' wneud? Aros ga'tre am weddill dy fywyd heb grwydro o olwg y simne? Gwranda, ti'n ffaelu ffugio llofnod dy fam am byth! Bydd yn rhaid iti fynd 'nôl rywbryd a bydd yn rhaid iti sôn wrth dy rieni hefyd.'

'Os dwi eisie dy gyngor di, fe ofynna i amdano fe, diolch.'

'Ems, wyt ti 'di clywed dy hunan yn ddiweddar? Rwyt ti'n bathetig! Rhaid iti frwydro 'nôl.'

''Sdim clem gyda ti, Anji, shwt dwi'n teimlo. Nid ti sy'n cael ei fygwth. Mae'n hawdd iti gynnig dy blydi gyngor fel rhyw hen fodryb hael yn rhannu taffis! Piss off, wnei di, a gad lonydd i fi!'

Ar hynny, aeth y lein yn hollol fud a roeddwn i'n gwybod fy mod i wedi mynd yn rhy bell. Doeddwn i ddim yn meddwl hanner y pethau ddywedais i, ond dwi wedi trio pob ffordd arall, wir i chi. Mae'n torri 'nghalon i'w weld e fel hyn. Dyw e ddim wedi gadael y tŷ ers dyddiau a chyn bo hir mae ei rieni'n mynd i sylweddoli hynny. Dy'n nhw ddim yn gwybod eto ei fod e'n colli ysgol. Mae e ymhell ar ei hôl hi gyda'i waith cartref a dwi ddim yn gallu dweud celwydd drosto fe rhagor. Mae pawb yn fy holi amdano ac yn hwyr neu'n hwyrach mae rhywun yn sicr o ffonio'i gartref a gollwng y gath o'r cwd. Dwi'n siŵr bod rhai'n amau rhywbeth. A nawr, ar ben popeth, dyma ni'n ffraeo. Dyw Ems a fi bron byth yn ffraeo a dwi'n casáu hynny pan mae'n digwydd. Dwi newydd anfon tecst ato i ymddiheuro, ond dwi heb gael ateb.

*

'Helô, Mrs Richards, ody Ems yn barod?'

'Barod am beth, bach? Odych chi'n mynd mas 'te? Dere miwn.'

'Odyn, ni'n mynd draw i 'Bertawe,' meddwn innau'n benderfynol wrth imi gamu i'r cyntedd golau, modern. Roeddwn i'n gobeithio na fyddai Mrs Richards yn ei gweld hi'n od fy mod i'n galw am ei mab yn hytrach na chwrdd â fe yn Abertawe fel sy'n digwydd fel arfer.

'Wna'th e ddim sôn 'i fod e'n mynd mas chwaith. Smo fe byth yn gweud gair wrtha i y dyddie 'ma. Fi yw'r ola i glywed popeth!'

'Fe wnaethon ni drefniade yn yr ysgol ddoe,' atebais innau heb edrych i fyw llygaid mam fy ffrind gorau. Roeddwn i'n teimlo'n euog am ddweud y fath gelwydd noeth a theimlwn yn waeth am nad oedd hyd yn oed Ems yn gwybod dim oll am fy nghynllun.

'Emyr! Mae Angharad 'ma. Siapa hi os y'ch chi am fynd i'r dre!'

Pan ymddangosodd Ems ar ben y grisiau gallwn weld fod ei wyneb fel symans, ond doedd dim ots gen i. Yn ystod y munudau nesaf gallwn deimlo dicter tawel fy nghyfaill yn fy nhrywanu fel cyllell a minnau'n ceisio bod mor naturiol â phosib o flaen ei fam. Yr unig beth oedd ar fy meddwl oedd llwyddo i fynd o'r tŷ ac Ems yn gwmni imi, o'i wirfodd ai peidio, er mwyn inni gael trafod busnes y bwlian a beth i'w wneud ynglŷn ag e. Gallwn wynebu'r storm ar y ffordd i ddala'r bws a fuodd hi ddim yn hir cyn ffrwydro. Ond erbyn inni gyrraedd canol Abertawe roedd y ddau ohonon ni'n ffrindiau pennaf unwaith eto ac roedd yr ysgariad drosodd.

'Wrth gicio a brathu . . .

. . . mae cariad yn magu!'

A chwerthin yn uchel wnaeth y ddau ohonon ni nes bod ambell un yn yr orsaf fysiau'n troi i syllu'n syn. Dwi wir ddim yn gwybod beth fyddwn i'n ei wneud petai Ems yn symud i ffwrdd i fyw neu petaen ni'n peidio â bod yn ffrindiau. Mae e fel estyniad ohono i a hebddo dwi ddim yn gallu cyflawni pethau cystal. Cydiais yn ei lawes a bant â ni fraich ym mraich ar hyd y strydoedd llawn siopwyr i brynu sglods a'u bwyta ar y grisiau yn y sgwâr goncrit, lwyd o flaen adfeilion y castell gan wneud yn siŵr ein bod ni'n osgoi cachu'r colomennod. Roedd e eisiau clywed y clecs i gyd o'r ysgol a soniais wrtho fy mod i bron â gwahodd Steffan, Rashid a Sioned i ddod gyda ni ond imi benderfynu ar y funud olaf na fyddai hynny'n syniad da. Roedd Ems yn cytuno, ond gallwn weld yr awgrym lleiaf o siom ar ei wyneb, bron fel petai'n barod i ddatgelu popeth wrth y lleill, yno yn y fan a'r lle, gyda'i gilydd, a chael diwedd ar y cyfan. Gwnes nodyn meddyliol o hynny, ond newidiais i'r pwnc.

Yna, aethon ni i'r ganolfan siopa a chrwydro trwy'r siopau dillad am awr o leiaf. Triais i lwyth o hetiau gwirion ymlaen a rhyw ugain top a chael barn ddiflewyn-ar-dafod Ems am bob un ohonyn nhw! Pan gydiodd yntau yn un o'r hetiau a'i rhoi ar ei ben ei hun dyma'r ferch oedd yn gweithio yn y siop yn brasgamu tuag aton ni a gofyn inni adael. Felly, gadael wnaethon ni ond nid cyn i Ems ddweud rhywbeth wrthi am 'pryn rad, pryn eilwaith' (mae Ems yn hoffi rhyw ddywediadau fel'na) a rhedon ni mas fel dau ffŵl gan chwerthin a thynnu llawer o sylw aton ni'n hunain. Roedd golwg hen sgrafell arni er nad oedd hi fawr hŷn na Catrin mewn gwirionedd.

Ac yna, fe welon ni nhw! Catrin a Ben! *Oh my God*! Roedd e mor ddoniol! Dyna lle roedden nhw yn eu byd bach eu hunain ac mewn cariad pur. Hi â'i phen yn pwyso ar ei ysgwydd e ac yntau â'i law ym mhoced ôl ei jîns. Roedd y ddau'n cerdded ling-di-long drwy'r môr dynol o'u cwmpas. Chwerthin! Roedden ni'n methu stopio. Yr eiliad nesaf, dyma Ems yn fy nhynnu tuag ato ac yn stwffio'i law i boced ôl fy jîns innau a dyma fi'n rhoi fy mhen i bwyso'n dyner ar ei ysgwydd e yn union fel y gwnâi Catrin, a cherddodd y ddau ohonon ni fel'na ryw ddeg metr saff y tu ôl i'm chwaer a Big Ben gan chwerthin bob cam o'r ffordd. Aeth hyn yn ei flaen am chwarter awr o leiaf ac ar un adeg bu bron inni gael ein dala pan drawodd rhyw ddyn yn erbyn Catrin ar ddamwain gan achosi iddi edrych dros ei hysgwydd yn sydyn a rhythu arno'n oeraidd yn ei ffordd ddihafal. Trwy drugaredd welodd hi mohonon ni. Yn fuan wedi hynny aethon nhw i gyfeiriad y maes parcio a 'nôl at y car, felly aethon ni'n dau yn ein blaenau i wneud rhagor o siopa Nadolig dychmygol cyn cerdded mas i Barc Tawe i weld a oedd ffilm dda yn y sinema, ond doedd dim byd. Felly, arhoson ni yng nghyntedd y sinema am ychydig yn rhannu can o Coke a thrafod y cariadon, a phenderfynu bod Ben yn goc oen go iawn ac nad oedd unrhyw ddiben gwadu hynny. Coc oen oedd e a dyna ni! Dyna sut mae rhai pobl. Wedyn cerddon ni draw i ardal y Marina a rhedeg dros y bont newydd sy'n edrych fel llong hwyliau gan sgrechain a gweiddi a chwerthin fel pethau gwyllt wrth glywed sŵn ein traed yn taranu'n erbyn llawr metel y bont. A phan gyrhaeddon ni'r pen draw, rhedon ni 'nôl i'r ochr arall er mwyn clywed y sŵn unwaith eto.

Crwydro'n hamddenol draw i'r orsaf fysiau wedyn, heb unrhyw frys yn y byd.

Bws Ems a gyrhaeddodd gyntaf ond doedd fy un i ddim yn hir ar ei ôl. Roeddwn i'n gwenu fel cath yr holl ffordd adref wrth feddwl am ddigwyddiadau'r prynhawn. Roeddwn i'n teimlo'n braf, yn wirioneddol braf unwaith eto, fel y tro hwnnw pan ges i naw deg naw y cant yn fy arholiad Ffrangeg a ffaelu aros i gyrraedd adref i frolio wrth Mam a Dad. Heddiw roeddwn i wedi cael canlyniad tebyg am fod fy ffrind yn well ac am fod fy nghynllun wedi llwyddo. Addawodd y byddai 'nôl yn yr ysgol ddydd Llun a dwi'n credu y gwnaiff e sôn ei fod e'n hoyw wrth rai o'r lleill. Wrth Rashid a Steff o leiaf. Treuliais weddill y daith yn meddwl am fy nghyfaill a bu bron imi golli fy stop. Codais yn sydyn o'm sedd a chanu'r gloch yn wyllt cyn rhuthro i flaen y bws. Arafodd y gyrrwr y cerbyd a mwmian rhyw gerydd fy mod i'n lwcus ei fod e wedi stopio ac y dylwn i roi mwy o rybudd iddo y tro nesaf. Edrychais arno yn wên i gyd a dweud 'sori' fel dwi'n ei wneud gyda Dad weithiau, a gwenodd e 'nôl. Pan gyrhaeddais y tŷ roedd Catrin eisoes yn lolian ar y soffa yn gwylio'r teledu.

'Ble *ti* 'di bod?' gofynnodd imi heb yr un gronyn o awydd gwybod yn ei chwestiwn.

''Bertawe,' atebais gan chwilio'n gynnil am unrhyw arwydd a fyddai'n bradychu ei hunanfeddiant allanol.

'Es inne i 'Bertawe prynhawn 'ma hefyd.'

''Da Ben, ife?'

'Ie.'

'Peth od bod ni ddim wedi gweld ein gilydd,' meddwn innau gan geisio swnio mor ddidwyll â phosib.

'Dyw e ddim yn od o gwbl. Mae 'Bertawe'n le mawr!' meddai hithau yn ei llais chwaer fawr.

'Ti'n iawn,' atebais yn ffug galonogol, cyn troi oddi wrthi a mynd lan i'm stafell wely.

7

Am un diwrnod yn unig y parodd y teimladau braf a ddaeth yn sgil fy muddugoliaeth. Am un dydd Sul glawog ym mis Tachwedd ces deimlo fy mod i wedi gwneud gwahaniaeth, fy mod i wedi bod o fudd. Maen nhw'n dweud bod un drws yn agor wrth i un arall gau ond mae'r gwrthwyneb yr un mor wir hefyd. Dyna dwi wedi'i weld.

Do, fe ddychwelodd Ems i'r ysgol y bore 'ma a chafodd groeso mawr, yn ôl y disgwyl, a thrwy'r dydd heddiw llwyddais i esgus, i ffugio, i ffalsio, i gadw wyneb a doedd Ems na neb arall ddim tamaid callach. Oeddwn, roeddwn i'n wirioneddol falch fod fy ffrind gorau 'nôl ar ei draed, yn barod i wynebu ei fwganod, ond pan ddihunais y bore 'ma doeddwn i ddim yn ymwybodol fod gennyf innau fwganod llawn mor ddinistriol gartref. Gwyddwn fod 'na densiwn rhwng Mam a Dad ers tro ond wyddwn i ddim fod pethau cynddrwg â hynny chwaith, a wyddwn i ddim fod y tyndra wedi troi'n argyfwng. A dwi'n teimlo'n gachlyd, yn wirioneddol gachlyd, am nad oeddwn i wedi sylwi a bod Rhodri wedi gorfod agor fy llygaid ac ysgwyddo'r cyfan drwy'r dydd ddoe ar ei ben ei hun. Tra oeddwn i'n poeni am Ems (a dwi ddim yn gwarafun hynny am chwarter eiliad) roedd fy angen i gartref ar fy mrawd bach. Fel arfer, fi yw'r cyntaf i sylwi ar bopeth. Mae Mam-gu wastad yn dweud bod gweld ynof i, ond y tro hwn roedd fy llygaid ynghau neu'n gwylio grymoedd eraill mewn llefydd eraill.

Cerdded at yr arhosfan oedden ni ac am unwaith roeddwn i'n edrych ymlaen at fynd i'r ysgol, am resymau amlwg. Fel y dywedais i eisoes, digon di-ddim yw'r pum munud o daith rhwng y tŷ a'r bws fel arfer ac unwaith y byddwn ni'n cyrraedd yr arhosfan bydd Rhodri'n mynd i sefyll ar ei ben ei hun ddeg metr i ffwrdd nes bod y bws yn dod, ond heddiw roedd y pum munud ymhell o fod yn wag.

'Ma rhwbeth yn bod rhwng Mam a Dad,' meddai.

Edrychodd e ddim arna i ond teimlais slaes datganiad syml fy mrawd fel cyllell yn rhwygo'r croen. Nid ar chwarae bach roedd e wedi dweud hyn.

'Be' ti'n feddwl, Rhod?' gofynnais gan arafu fy nghamau a syllu ar y pafin o'm blaen. Doeddwn i ddim yn barod am hyn a doeddwn i ddim eisiau clywed yr hyn oedd gan fy mrawd i'w ddweud.

'Dechreuodd e brynhawn dydd Sadwrn pan o't ti a Catrin yn 'Bertawe.'

'*Beth* ddechreuodd? Be' ti'n feddwl?'

'Y gweiddi.'

'Gweiddi? Pa weiddi?'

'Y gweiddi cas rhwng Mam a Dad. Wedodd Mam rwbeth wrth Dad abythdu gwylio cymaint o rwtsh ar y teledu a taw 'na i gyd o'dd e'n 'neud bellach, o fore gwyn tan nos.'

'Ble o't ti?'

'Yn gorwedd o flaen y teledu yn y lolfa yn gwylio'r pêl-droed gyda Dad.'

'A beth wedodd Dad?'

'Gwaeddodd e 'nôl a gweud bod hynny ddim yn wir a'i bod hi'n gwbod hynny. Wedodd e fod y rwtsh o'dd ar y teledu'n well na'r rwtsh o'dd yn dod o'i cheg hi y dyddie 'ma a bod y teledu o leia'n ddifyr. Dyna pryd codes i a mynd i'm stafell wely, ond o'n i'n gallu 'u clywed nhw'n gweiddi ar ei gilydd am sbel ar ôl hynny.'

Stopiais i'n stond a throi i wynebu fy mrawd.

'Tria beidio â becso, ocê. Fi'n siŵr bod popeth yn iawn. Dylet ti glywed rhai o'r pethe ma' Ems yn 'u gweud am ei rieni fe. Maen nhw fel ci a chath!'

Ond wrth i'r geiriau lithro dros fy nhafod gwyddwn eu bod nhw'n swnio'n wan ac nad oeddwn innau hyd yn oed yn credu'r neges o gysur roeddwn i'n trio'i chyfleu.

'Wedi 'ny, clywes i ddrws stafell Mam a Dad yn caead yn glep, a gallwn i glywed Mam yn llefen. O'dd e'n ofnadw, yn wirioneddol ofnadw.'

'Ond o'n nhw'n iawn pan ddes i adre.'

'Na, o'n nhw ddim yn iawn, Angharad. O'dd Dad ddim 'na, os ti'n cofio. Aeth e mas yn glou ar ôl y ffrae ac o'dd Mam ymhell o fod yn iawn.'

Yr eiliad honno, roedd cywilydd arna i nad oeddwn wedi sylwi, nad oeddwn wedi bod yno i ymyrryd, i drio gwneud rhywbeth.

'Bore ddoe wedyn, codes i'n gynnar i fynd lawr i whare ar y cyfrifiadur ac o'dd Dad yn gorwedd ar y soffa yn y lolfa. O'dd hi'n amlwg 'i fod e wedi bod 'na drwy'r nos. Wnes i ddim 'i holi ac es i'n syth at y cyfrifiadur yn y cwtsh drws nesa. Ar ôl rhyw chwarter awr daeth e mewn ata i ac eistedd yno am funud neu ddwy yn esgus cymryd diddordeb yn y gêm ar y sgrin. Ond yna aeth e 'nôl i'r lolfa ac o'dd e mor drist, Angharad. Ma' rhwbeth difrifol yn digwydd. Fi jest yn gwbod.'

Cerddon ni'n dau weddill y daith i ben y stryd heb yngan gair, nid am nad oedd dim i'w ddweud ond am na wydden ni beth i'w ddweud. Pan gyrhaeddodd y bws daeth Rhodri i eistedd ar fy mhwys i yn lle mynd i gadw sŵn gyda'i ffrindiau. Roeddwn i am roi fy mraich amdano a'i dynnu tuag ata i, er mwyn cysuro fy hun yn gymaint â fe, ond allwn i ddim gwneud hynny o flaen pawb. Felly, teithion ni gyda'n gilydd mewn mudandod, yn union fel y teithion ni i'r ysgol y bore y clywson ni fod Tad-cu Bont wedi marw, gan wybod nad oedd modd newid dim byd ac nad oedd dewis ond derbyn y cyfan a symud ymlaen.

8

Gadawodd Dad heddiw. Fe aeth â dau gês mawr i'r car oedd wedi'i barcio o flaen y tŷ a'u rhoi nhw'n araf ac yn fwriadus yn y cefn. Yna, daeth e 'nôl i gasglu rhagor o'i eiddo a mynd â'r cwbl mas mewn blychau cardbord a bagiau sbwriel du. Fuodd e fawr o dro yn llwytho'i drugareddau a gwyliais y cyfan drwy ffenest y lolfa, yn union fel petawn i'n gwylio tad rhywun arall – y rhai cyhyrog, heulog, gwallt golau hynny sy'n llenwi cymaint o ffilmiau Americanaidd crap. Y math o ffilm y bydda i ac Ems yn ei gwylio pan nad oes dim byd gwell i'w wneud ar nos Sadwrn.

'Bye honey! Bye kids! It'll only be until the Fall. Now you look after your Mom, d'ya hear me.'

Rhywbeth tebyg ddywedodd Dad ond bod yr iaith yn wahanol a bod hyn yn digwydd go iawn. Nid ffilm i'w stopio ar y DVD a'i thynnu mas tan y tro nesaf oedd hon. Eto, dwi'n methu'n lân â rhoi'r gorau i'w chwarae a'i hailchwarae yn fy meddwl a dadansoddi pob golygfa fesul ffrâm.

Os rhywbeth, roedd clywed ei fwriad neithiwr yn llai o sioc na'i weld e'n llenwi'r car gynnau a pharatoi i fynd. Dwi'n dweud 'sioc' ond doedd hi ddim yn sioc go iawn chwaith, erbyn meddwl. Mater o amser oedd e, ond roedd yn ysgytwad serch hynny.

Roeddwn i, Catrin a Rhodri (y teulu bach cytûn) yng nghanol ffrae ynghylch pa sianel i'w gwylio ar y teledu pan gerddodd y ddau i mewn i'r lolfa gyda'i gilydd a diffodd y teledu'n dawel. Peidiodd y ffraeo'n syth am fod greddf yn dweud taw dyna oedd y peth cywir i'w wneud. Tynnais fy nghoesau tuag ataf ar y soffa er mwyn gwneud lle i'r ddau eistedd wrth ochr ei gilydd, y tro cyntaf iddyn nhw wneud hynny ers misoedd. Chwarae teg iddyn nhw, maen nhw wastad gyda'i gilydd ar gyfer unrhyw gyhoeddiad o bwys! Y trueni, hyd y gwela i, yw nad yw'r rhannau yn y canol, y rhai llai theatrig, y rhai bob dydd, yn hawlio yr un ymdrech. Ond wrth rythu ar wyneb gwelw Mam ac yna ar Dad, gwyddwn ei bod hi'n rhy hwyr i'r pethau bach hynny bellach a'n bod ni fel teulu wedi cyrraedd rhywle lle nad oedden ni wedi bod o'r blaen.

'Ma 'da fi rwbeth i' weud wrthoch chi,' meddai Dad yn betrusgar gan edrych arnon ni'n tri fel petai'n trio tynnu lluniau o'n hwynebau a'u dodi'n ddiogel yng nghyfrifiadur ei gof er mwyn iddo allu clicio arnyn nhw'n gyfleus yn ôl yr angen pan na fydden ni wrth law. 'Dwi 'di cael job newydd sy'n golygu symud o fan hyn am ychydig.'

Yr eiliad honno edrychai'n hŷn na'i ddeugain mlwydd oed ac roedd ei wyneb yn gymysgedd o ryddhad ac ofn. Rhyddhad bod y cyhoeddiad a fu'n pwyso cymaint arno yn wybodaeth gyhoeddus bellach ac ofn am fod y drws ar agor led y pen. Ddywedodd neb yr un gair, dim ond syllu o'u blaenau ar ryw gyfnod preifat, mwy diogel yn y gorffennol er mwyn eu gwarchod rhag yr hyn oedd i ddod.

'Nage chi, ond fi, fydd yn symud,' meddai wedyn.

'Ble?' Rhodri a ofynnodd yr amlwg am nad oedd neb arall yn gallu meddwl am ddim byd gwell i dorri ar y tawelwch.

'Aberdaugleddau.'

'Ond dyw fanna ddim yn bell,' mynnodd fy mrawd. ''Sdim eisie iti symud i fyw 'na. Pam 'set ti'n teithio 'nôl a 'mlaen bob dydd?'

'Mae Dad wedi cael dyrchafiad, Rhodri, sy'n golygu y bydd gyda fe dipyn mwy o gyfrifoldeb nawr nag yn ei hen job.'

Roeddwn i'n teimlo fel atgoffa fy mam fod ganddo fe, a hi, gyfrifoldebau gartref hefyd ond allwn i ddim cael hyd i'r geiriau ar y pryd.

'Rhod, mae'r orie yn y burfa olew'n lletchwith, was. Bydd hi'n anodd i fi drafaelu 'nôl a 'mlaen bob dydd, hyd yn oed i rywle cymharol agos fel Sir Benfro.'

'Mae'n bosib taw dros dro fydd e, am gwpwl o fisoedd. Gawn ni weld,' ychwanegodd Mam.

Ond doedd dim argyhoeddiad yn ei llais, ac o edrych 'nôl dwi ddim yn gwybod faint o awydd oedd ganddi chwaith i bethau fod fel arall. Po fwya dwi'n meddwl dwi ddim yn gwybod faint o awydd sydd gan y naill na'r llall i oresgyn eu hanawsterau, i weld eu 'harbrawf' yn llwyddo. Achos dyna yw e, arbrawf. Mae hynny'n amlwg i bawb. Ac mae'n rhaid eu llongyfarch am beidio â thorri'r llinyn yn llwyr ac yn syth, yn y fan a'r lle, fel cymaint o barau eraill sy'n gwybod yn eu calonnau fod y cemeg rhyngddyn nhw wedi troi'n bwdwr a di-fflach. Mae'n fwy gwaraidd fel hyn, wrth gwrs, ac yn nodweddiadol o Eifion a Nia Lewis, rhieni Catrin, Angharad a Rhodri, i ystyried ein teimladau ni. Rhieni da. Plant hyfryd. Teulu neis. Ond anaml iawn mae arbrawf yn llwyddo yn fy mhrofiad i. Yn y labordy Cemeg yn yr ysgol dwi erioed wedi llwyddo i gadw'r fflam ynghynn.

Ar ôl i'r siarad dewi, cododd Catrin a diflannu i'w stafell wely lle arhosodd hi am weddill y noson. Cropiodd Rhodri ar ei bedwar o'r man lle roedd e'n swatio ar y llawr er mwyn eistedd rhwng coesau Dad. Cydiodd Mam ynof i a'm gwasgu tuag ati, ac roedd 'na ddweud anferthol yn y weithred honno. Galla i weld hynny nawr. Cododd hithau wedyn a mynd lan llofft gan adael y tri ohonon ni ar ôl, fel ar nos Fawrth pan fydd hi a Catrin yn y dosbarth ioga, ond o hyn ymlaen byddai nos Fawrth yn wahanol iawn.

Gadawodd Dad ryw awr yn ôl. Doedd yr ymadawiad ei hun ddim yn arbennig o drawiadol. Doedd dim seremoni yn ei gylch. Eto, dwi ddim yn gwybod pa fath o seremoni roeddwn i'n ei disgwyl chwaith. Bonllefau a baneri yn y stryd? Dagrau? Doedd e ddim fel angladd Tad-cu pan garion nhw ei arch o barlwr Mam-gu at y car mawr, du o flaen y tŷ a gosod torchau o flodau drosti a gyrru i ffwrdd yn araf ac yn barchus. Roedd hynny'n derfynol ac yn gwneud synnwyr o fath am fod Tad-cu yn hen ac wedi dioddef cystudd hir, medden nhw. Ond heddiw doedd dim dagrau amlwg am nad oedd Dad yn mynd am byth. Neu dyna oedd y stori, ta beth. Dyna oedd pwrpas neithiwr. Ond y cwbl maen nhw wedi'i wneud yw cymhlethu pethau. Dwi'n gwybod nad yw fy nhad yn mynd i ffwrdd am byth ond dwi'n gwybod hefyd na fydd pethau byth yr un fath. A phan ddaw e 'nôl ddiwedd yr wythnos fydd e ddim 'nôl go iawn, fel tad Ems. Fydd e ddim gyda ni wrth y ford frecwast fore Llun a fydd e ddim gyda ni nos Fawrth i'n helpu ni gyda'n gwaith cartref. Fydd e ddim yma. Pan ddaw e 'nôl nos Wener bydd pawb yn ffalsio ac yn ymddwyn yn od ac yn disgwyl am yr amser pan fydd e'n mynd 'nôl i Aberdaugleddau eto. Bydd pwysau ar bob un ohonon ni newid er mwyn peidio â gwastraffu eiliad o'i ymweliad. Ond dwi ddim yn siŵr beth i'w feddwl am hynny. Mae'n anodd ei ragweld. Y funud hon dwi ddim yn gwybod sut dwi'n teimlo, achos ar ôl angladd mae rhywun yn galaru am gyfnod, ac ymhen amser mae 'na gyfnod gwell yn dod. Ond yn yr achos yma dwi'n ffaelu gweld hynny rywsut. Felly, nid galar yw hwn, mae'n rhaid, ond eto mae'n teimlo fel galar – galar am y teulu a oedd yn arfer bod.

9

Dwi ddim yn gwybod beth sydd waethaf, y ffaith ein bod ni'n wahanol nawr neu'r ffaith fod pobl eraill yn gwybod ein bod ni'n wahanol ac yn ein trin yn wahanol. Mae pawb ychydig yn garedicach ers iddo adael. Mae Rhodri a Catrin yn dweud yr un peth. Mae'n naturiol fod pobl yn cydymdeimlo a dwi ddim yn dannod hynny i neb. Achos, dwi wir yn credu bod y rhan fwyaf o bobl yn dda yn y bôn. Mae Mam a Dad yn bobl dda ond mae'n rhy fuan eto imi geisio dweud llawer amdanyn nhw. Mae Ems yn berson da ond mae pethau eraill ar ei feddwl e ar hyn o bryd. Dyw e ddim yn fy nhrin yn wahanol, a dwi'n gwybod ei fod e yno'n gefn imi os bydd angen.

Mae'r rhan fwyaf o bobl yn cadw at ryw reolau anweledig, cudd, a dim ond weithiau, pan fydd rhaid, mae newidiadau i'r rheolau hynny'n dod i'r wyneb. Dwi'n ei weld ar wyneb Keith drws nesaf, sy'n rhy awyddus i ddweud 'helô' dros ffens yr ardd wrth inni ddod adref o'r ysgol bellach. Dwi'n ei weld yn wyneb Eirlys ei wraig sydd wedi dechrau picio mewn a mas yn rhy aml i holi a ydyn ni'n iawn. Dwi'n ei glywed yn lleisiau Mam-gu Cwm a Mam-gu Bont ar ben arall y ffôn. Mae i'w weld yn yr ysgol, ymhlith yr athrawon, ymhlith y llond dwrn o ffrindiau sy'n gwybod. Yn sydyn reit, mae pawb ychydig yn fwy amyneddgar ac yn barotach eu gwên. Do, meddyliodd Mam a Dad am bopeth. Ffonion nhw'r prifathro'n syth i gael gair bach yn ei glust, rhag ofn. Rhag ofn beth? Rhag ofn y byddai un o'u plant yn gwneud rhywbeth twp? Rhag ofn y byddai 'na adwaith anffortunus, cas? Rhag ofn y bydden ni'n ymddwyn yn rhyfedd? Yn dwyn? Cymryd cyffuriau? Onid oedden nhw wedi ein magu i beidio â dangos emosiwn, fel nhw? Ac wedi'r cyfan, dim ond swydd newydd oedd hi. Doedd Dad ddim yn mynd am byth, oedd e? Fel arall, pam dweud wrth yr ysgol? Ond erbyn diwedd prynhawn dydd Llun roedd hi'n amlwg fod trafferthion teulu'r Lewisiaid yn destun siarad brwd yn stafell yr athrawon, sy'n gyfaddefiad ar ran fy rhieni fod y cyfan ar ben.

Fore Sul diwethaf, pan wyliais gar y teulu'n diflannu heibio i'r troad ar waelod y stryd, roeddwn i'n meddwl bod fy mywyd ar ben, ond dyw e ddim. Mae'n wacach, ond dyw e ddim ar ben. Mae'r tŷ yn wacach, does dim dwywaith am hynny, ac mae pawb yn cadw at ei domen ei hun fel petai eistedd gyda'n gilydd yn y lolfa yn fynegiant rhy gyhoeddus, rhy anghynnil, rhy anghynnes o'r realiti newydd, plaen. Mae'n rhy deuluol. Y prynhawn 'ma, ar y pumed prynhawn yn dilyn ei ymadawiad, eisteddais yn y lolfa ar fy mhen fy hun a syllu ar ei drugareddau ym mhobman, ar ei lyfrau, ar ei gerddoriaeth, ar y llun ohono fe a ni ar draeth Cefn Sidan a'i wên lydan, ifanc yn cuddio'r hyn oedd i ddod.

Bydd hi'n od cael ein magu gan rieni rhan-amser, achos dyna fyddan nhw bellach, hyd yn oed Mam. Ond bydd hynny'n amlycach yn achos Dad. Penwythnosau prysur, gwallgof, rhy ymdrechgar a phawb yn rhy barod i blesio. Am faint mae hynny'n debygol o bara cyn i rywun dynnu mas? Pwy fydd y cyntaf i wneud hynny? A rhwng pob penwythnos, bydd y paratoi at y penwythnos nesaf, hynny a'r osgoi cyson. Osgoi sôn am hwn-a-hwn, osgoi cyfeirio at hyn-a-hyn rhag i rywun gael ei frifo. Mae wedi dechrau'n barod. Mae Mam yn trio'n rhy galed gyda ni ac ry'n ni'n trio'n rhy galed gyda hi. Mae pawb yn dawnsio ar flaenau eu traed. Mae'n anodd gwybod sut mae hi'n teimlo. Mae hi wedi newid, mae hynny'n sicr. (Da iawn, Angharad, am ddweud y blydi amlwg! Ry'n ni i gyd wedi newid!) Mae Mam yn dawelach nag oedd hi, fel petai'n magu clais dwfn, tywyll. Ond mae llai o dyndra yn ei chylch, fel petai'n ffyddiog y bydd y clais yn mynd gydag amser. Eto, dwi'n grediniol y bydd peth o'i ôl yn aros am byth, ac mae meddwl am hynny'n hala ofn gwirioneddol arna i.

Dwi'n cofio gwylio rhaglen ar y teledu unwaith am griw o famau ifanc chwarter canrif yn ôl, merched ychydig yn hŷn na fi a dweud y gwir, oedd wedi gorfod rhoi eu babanod i fyw gyda rhieni maeth am nad oedd fawr o ddewis ganddyn nhw, a bod y babanod hynny wedi tyfu gyda theuluoedd newydd, ar wahân i'w mamau naturiol. Dychmygwch y golled! Dychmygwch y blynyddoedd o dybio petai a phetasai. Roedd clais ar y mamau hynny am byth, hyd yn oed y rheini a lwyddodd i gwrdd â'u plant ymhen blynyddoedd. Tybed ai dyna sut y bydd Mam yn meddwl, yn dychmygu ac yn dyfalu petai a phetasai? Petai hi a Dad wedi gwneud mwy o ymdrech i fwynhau'r hyn oedd ganddyn nhw, efallai y byddai wedi bod yn wahanol. Petai'r ddau wedi bod yn llai cymodlon ac yn fwy ymosodol, yn fwy agored, yn barotach i ddadlau, fel rhieni Ems. Petai'r ddau wedi bod yn barotach i fyw, fyddai dail eu priodas ddim wedi gwywo ar y gainc.

Tybed ydy Catrin a Rhodri'n teimlo rhywbeth tebyg neu dim ond fi sy'n mynd ar ôl chwiwiau o'r fath? Does dim posib dweud yn achos Catrin. Mae hi'n ochri gyda Mam. Syndod a rhyfeddod! Mae hi wastad wedi gwneud hynny. A phan adawodd Dad ddydd Sul ddaeth hi ddim i ddweud 'hwyl fawr' nac i godi llaw na dymuno'n dda. Ddaeth hi ddim hyd yn oed i esgus gwneud hynny. Ar un olwg, efallai ei bod hi'n fwy gonest na fi a Rhod, neu efallai ei bod hi'n rhy gaeth yn ei theimladau ei hun i synhwyro bod eraill wedi cael loes hefyd. Bydda i'n holi fy hunan weithiau a ydyn ni'n perthyn o gwbl. Mae Rhodri'n debycach i fi, ond mae e ar goll yn llwyr heb Dad. Aeth Mam ddim i'w dosbarth ioga nos Fawrth ac aethon ni'n pedwar gyda Ben yn ei gar i fowlio deg. Ond doedd pethau ddim yr un fath. Gobeithio yr aiff hi gyda Catrin nos Fawrth nesa a gadael llonydd i Rhodri a fi. Fe wnaeth ei gorau, chwarae teg, ond nos Fawrth yw nos Fawrth a dwi'n synhwyro bod Rhodri'n teimlo'r un fath. Dyw e ddim wedi yngan gair am Dad ers iddo fynd ac mae hynny'n fy synnu er fy mod i'n deall pam. Mae e wedi mynd yn ddi-fflach fel y bydd rhywun wrth gicio pêl fflat ar hyd yr ardd.

Fory bydd Dad yn dod 'nôl i'r nyth, a dyna fydd y drefn bob dydd Gwener o hyn ymlaen. Ai nos Wener felly fydd y nos Fawrth newydd? Ond dwi'n ddigon call i wybod bod nos Fawrth wedi mynd am byth. Fory bydd patrwm newydd yn dechrau, ac fel roeddwn i wedi amau, dwi wedi newid fy nghynlluniau'n barod er mwyn treulio amser gyda Dad. Dwi'n edrych ymlaen yn sobor at ei weld ond dwi ddim yn siŵr sut y bydda i chwaith. Dwi'n gobeithio y galla i wthio'r crap naill ochr a chanolbwyntio ar nawr, ar y penwythnos, heb feddwl gormod am y petai a'r petasai.

10

Mae fe, Ben, yn byw a bod yma bellach. Yn y tair wythnos ers i Dad fynd mae e yn ein cartref bob cyfle gaiff e, fel patshyn llaith ar wal y lolfa, fel staen styfnig ar y carped. A'i gar newydd mas tu fas i fynd â Mam i siopa ar nos Iau, i fynd â Catrin a Mam i ioga bob nos Fawrth, i fynd â Rhodri i bêl-droed ar ôl ysgol. Dyna lle maen nhw nawr, y pedwar ohonyn nhw, yn deulu bach cytûn.

'O, mae Ben mor biwr, mor garedig!'

'Gall Ben fynd â ti.'

'Whare teg i Ben!'

'Unrhyw bryd, Mrs Lewis. Dim ond gofyn sy eisie.'

Mae'r haul yn shino mas o dwll tin Ben! Ben, Ben, blydi Ben. Mae e'n hala fi'n benwan!

Dwi'n ei gasáu e am sleifio'i ffordd i mewn i'n teulu ni, am weld ei gyfle, am gymryd mantais. Achos dyna mae e'n ei wneud ond bod pawb arall yn rhy dwp neu'n rhy ddibynnol arno i weld hynny. A dwi'n casáu'r ddau ohonyn nhw am adael i hyn ddigwydd. Fe a hi. Y pâr priod 'di-briod'. A dwi ddim yn teimlo'n euog am eu casáu nhw chwaith achos nhw sydd ar fai, nid fi. Wnes i ddim byd o'i le. Dwi wastad wedi cyd-dynnu, wastad wedi chwarae'r gêm. Nhw oedd yn methu cytuno. Nhw oedd yn methu cyd-fyw. Nhw oedd yn methu symud ymlaen. Dwi'n eu beio nhw'n grwn am y cawlach hwn. Ac yn y funud bydd pawb 'nôl yn y nyth i bwysleisio'r annibendod newydd, i rwto fy nhrwyn yn y staen yn y carped, pawb ond Dad wrth gwrs. Mae hwnnw'n prysur golli ei le a'i ddylanwad, a dim ond tair wythnos sydd wedi mynd ers iddo adael. Ond dwi'n dechrau dod i ddeall bod yn rhaid i rywun frwydro os yw e eisiau cadw'r pethau hynny. A dyw brwydro ddim yn rhywbeth sy'n dod yn naturiol yn achos fy mam a 'nhad.

Dwi newydd fod yn byseddu trwy ei gasgliad o hen recordiau, rhai yn mynd 'nôl i ganol saithdegau'r ganrif ddiwethaf, pan oedd e'n iau na Rhodri hyd yn oed. Mae'n rhyfedd meddwl am Dad yn fachgen, yn byw gyda Mam-gu a Tad-cu ac Wncwl Dewi yn y Cwm. Perthyn i Wncwl Dewi mae rhai o'r recordiau hynaf achos mae e wedi ysgrifennu ei enw a'r flwyddyn ar y cloriau yn ei lawysgrifen daclus, ond rhywsut maen nhw wedi ffindo'u ffordd i'n tŷ ni. Efallai ei fod e'n gwybod cymaint o feddwl sydd gan Dad ohonyn nhw a'i fod wedi eu rhoi nhw iddo dro yn ôl, yn anrheg i'w frawd iau, fel y bydda i'n rhoi anrheg i Rhodri weithiau. Mae Dad yn falch iawn o'i gasgliad recordiau a phan oedden ni'n fach byddai'n eu chwarae'n uchel ar ei stereo mawr henffasiwn, a byddai Catrin a fi'n dawnsio i'r gerddoriaeth ac yn dala bobo frwsh gwallt o flaen ein cegau a chanu gyda'r grwpiau. Byddai Dad yn canu gyda ni am ei fod e'n gwybod y geiriau i gyd ac yn ymgolli mewn cyfnod oedd yn perthyn iddo cyn iddo gwrdd â Mam. Ond gydag amser daeth stop ar hynny am ryw reswm, fel petai'r ymdrech yn ormod, ac ers rhai blynyddoedd bellach anaml iawn y byddai'n eu tynnu nhw mas o'u cloriau.

Fy ffefryn wastad oedd Edward H Dafis a 'Sneb yn Becso Dam. Roeddwn i'n arfer fy nhwyllo fy hun fy mod i'n rhegi heb i'r lleill sylweddoli hynny, fy mod i'n llwyddo i ddefnyddio gair drwg yn dawel bach. Dysgais i'r geiriau, bob un ohonyn nhw, a'u canu nerth fy mhen. Canu am yr hen ffordd Gymreig o fyw. Ond dyna beth rhyfedd, dwi newydd wrando arnyn nhw eto a dyw'r geiriau ddim yn taro tant mwyach. Efallai fod 'na shwt beth â hen ffordd Gymreig o fyw pan oedd Dad ac Wncwl Dewi'n fach, pan oedden nhw'n byw gyda Mam-gu a Tad-cu a llond pentref o gyfeillion a chymdogion a phawb yn adnabod pawb arall ac yn byw a bod yn nhai ei gilydd. Ond mae'r ffordd honno wedi hen ddod i ben. Does dim eisiau edrych ymhellach na'n teulu ni. Dyw'r ffordd newydd Gymreig o fyw yn ddim gwahanol i'r ffordd Almaenig neu'r ffordd Wyddelig neu'r ffordd Ffrengig, ac am wn i doedd hi erioed mor wahanol â hynny.

Ond un peth sy'n sicr, roedd fy mywyd i'n arfer bod yn wahanol. Roedd e'n wahanol i'r hyn yw e nawr, ta beth. Erbyn meddwl, mae'n rhaid mynd 'nôl eithaf tipyn i ddarganfod cyfnod pan oedden ni'n deulu hapus. Hynny yw, pan oedd pawb yn hoffi bod gyda'i gilydd ac yn ymwneud â'i gilydd yn ddiymdrech. Mae'n anodd nodi pryd yn union y dechreuodd y cyfan fynd o'i le. Ac er nad oes diwrnod yn mynd heibio heb imi holi pam a thrio gwneud sens o'r cyfan, dwi'n methu dod o hyd i ateb llawn. Achos does 'na ddim byd amlwg. Does 'na ddim cariad arall gan y naill na'r llall i gorddi'r dyfroedd nac i gynnig ateb hawdd, neu byddwn i wedi clywed bellach. A phetai hynny'n bod efallai y byddwn i'n deall. Ond does dim byd fel'na. Efallai taw rhyw sydd wrth wraidd y broblem wedi'r cwbl a bod Ems yn llygad ei le. Pwy a ŵyr? Ond mae'n rhaid bod rhywbeth mwy. Priodon nhw'n ifanc iawn cyn cael cyfle i adnabod partner posib arall nac i ystyried neb arall. Chawson nhw ddim cyfle i ddilyn breuddwydion nac i holi pam, a nawr maen nhw'n mynd i ysgaru'n ifanc. Does neb wedi sôn am hynny eto, ond dyna sy'n mynd i ddigwydd.

11

Mae rhywbeth yn dweud wrtha i fod y Nadolig yn
mynd i fod yn un arbennig iawn eleni. Mae'n mynd i
fod yn wompen o flwyddyn o ran anrhegion, does dim
dwywaith am hynny! Mae'r arwyddion yn eu lle yn
barod. A phetawn i'n berson cyfrwys gallwn fod ar fy
ennill go iawn. Gallwn gael unrhyw beth dwi 'i eisiau
o fewn rheswm, neu y tu hwnt i reswm, o ran hynny.
Wedi'r cwbl, does dim sens na rheswm i lawer o bethau
bellach, felly pam lai: ffôn symudol newydd, jîns
newydd, iPod nano, cot, teledu plasma i'r stafell wely,
tegan cwtshlyd fel ar y sioeau cwis gorau ar y teledu
(wps, na, mae Cadi gen i'n barod, sori), heb sôn am
lond poced o arian! Chi'n gweld, mae modd manteisio
i'r eithaf ar euogrwydd pobl eraill pan mae'r amodau'n
iawn. Byddai Dad yn fwy na pharod i brynu ei ffordd
mas y tro yma er gwaethaf ei ffordd ddarbodus,
naturiol. Digon tyn oedd e'r llynedd ond eleni mae
unrhyw beth yn bosib. Teledu plasma fyddai ei ddewis
e dwi'n credu, ac yntau'n ddyn mor fodern! Ond
dwi'n rhyw amau y byddai Mam yn barotach i fynd
am y dillad yn hytrach na'r teclynnau diweddaraf am
fod ei thraed ychydig yn fwy sownd ar y ddaear. I'r
diawl, byddai llond cwpwrdd o ddillad newydd yn
gwneud y tro i'r dim hefyd! Anrhegion cydwybod,

dyna gawn ni eleni, a phan mae rhywun wedi gwneud rhywbeth mawr o'i le neu wedi gwneud *sod all* i achub sefyllfa pan oedd modd gwneud llawer, pam na ddylen nhw orfod talu? Maen nhw'n haeddu gorfod gwneud cymaint â hynny, does bosib. Ond fe gân nhw gadw eu hanrhegion Jwdas. Dwi ddim eisiau lleddfu eu cydwybod a dwi ddim eisiau eu godro chwaith. Chi'n gweld, mae'r llaeth eisoes wedi troi'n sur.

Dwi'n credu fy mod i'n gwybod beth mae Ems wedi'i brynu i fi. Dwi ddim yn gwbl siŵr wrth gwrs, ond y tro hwnnw pan dynnais i fe gyda fi i Abertawe o'i anfodd, aethon ni i gymaint o siopau a chawson ni gymaint o hwyl, ac fe welais i fe'n llygadu breichled las yn un o'r siopau. Mae Ems mor ddoniol, mae e'n ffaelu cadw dim yn gyfrinach. Mynnodd fynd yn ei ôl i'r siop cyn diwedd y prynhawn ac aeth at y freichled fel mae gwenyn yn tynnu at bot jam. Buodd e'n holi fy marn gan geisio rhoi'r argraff ei fod e'n ddi-hid, ond dwi'n ei adnabod yn rhy dda. Dwi'n gobeithio taw dyna mae e wedi'i phrynu achos mae'n ffab. Mae ganddo fe chwaeth hyfryd. Breichled dwi innau wedi'i phrynu iddo fe hefyd, un frown a'r lledr wedi'i blethu. Dwi'n gobeithio y bydd e'n ei hoffi. Dwi'n eithaf siŵr y bydd e achos ry'n ni'n debyg iawn fel'na. Bydda i wastad yn edrych ymlaen at agor anrheg Ems bob Nadolig.

Dy'n ni ddim yn gweld llawer ar ein gilydd y dyddiau hyn, y tu fas i oriau ysgol, ta beth. Mae e mor brysur gyda'r ddrama ac mae fy mhenwythnosau i'n dilyn patrwm gwahanol ers i Dad symud i ffwrdd. Ond dwi ddim am newid fy nghynlluniau er mwyn neb na dim y penwythnos yma. Fory dwi'n mynd i drefnu cwrdd ag Ems yn lle mynd gyda Dad, a dwi'n mynd i roi fy anrheg iddo a dwi'n mynd i dderbyn yr anrheg mae e wedi'i phrynu i mi. Fe gawn ni lot o hwyl cyn i fi ddweud 'hwyl' wrtho a dod adref at fy nheulu am ein Nadolig cyntaf o dan y drefn newydd. Ond dwi wir ddim yn edrych ymlaen at ddod adref ar gyfer ein drama Nadolig ni. Does gen i ddim amynedd a gallwn sgrifennu'r sgript yn barod. Bydd Catrin yn gwneud popeth o fewn ei gallu i osgoi bod yn yr un stafell â Dad. Bydd Mam yn trio'n rhy galed ac yn symud tir a môr i osgoi rhagor o helynt, achos dyna'i ffordd. Ond mae hynny braidd yn hwyr bellach, yn ofer. Bydd Rhodri'n glynu wrth ei dad, ac o wneud hynny'n ein hatgoffa bob eiliad o'r hyn a gollwyd. A bydda i rywle yn y canol fel rydw i bob tro. A Gŵyl San Steffan bydd yr 'hwyl a'r sbri' yn parhau ond eleni, am y tro cyntaf erioed, draw yng nghartref Wncwl Dewi a'i wraig y byddwn ni. O leiaf bydd Mam-gu yno. Dwi'n dwlu ar Mam-gu.

*

Dwi'n meddwl fy mod i'n iawn, taw breichled dwi wedi'i chael gan Ems! Mae'n rhaid taw dyna yw hi achos mae'r pecyn mor fach ac mae siâp y bocs yn awgrymu hynny. Dwi ddim yn gwybod hynny i sicrwydd cant y cant eto achos fyddwn ni byth yn agor ein hanrhegion o flaen ein gilydd er gwaethaf y demtasiwn i wneud. Mae Ems a fi'n eithaf traddodiadol yn hynny o beth. Ers dwy flynedd bellach ry'n ni wedi cwrdd yn Abertawe gan fynd draw i sgwâr Dylan Thomas o flaen Amgueddfa'r Glannau ar gyfer y ddefod fawr. Y llynedd roedd hi'n pisho'r glaw ond roedd hynny'n rhan o'r hwyl. Fi a fe a'r glaw a neb arall heblaw'r bardd ei hun.

Ond roedd popeth yn wahanol eleni, fel cymaint o bethau eraill yn fy mywyd. Blwyddyn y newidiadau mawr! Yn lle bod ar ein pennau ein hunain roedd rhai o ffrindiau newydd Ems wedi dod hefyd, rhai o'r criw drama, ac roedd hi'n od rhywsut. Roeddwn i'n teimlo'n lletchwith yn mynd drwy ein pethau o flaen pawb. Roedd e fel perfformio ar lwyfan, a dwi ddim yn berfformwraig neu byddwn i wedi ceisio am ran yn nrama'r ysgol, fel Ems. Ta beth, dwi ddim eisiau gwneud môr a mynydd o'r peth ond doedd e ddim cystal â'r troeon cynt. Doedd e ddim mor arbennig. Yn lle'r dyfalu a'r cyffro a'r cymryd arnom arferol, digon di-ddim oedd y cyfan. Ond dwi'n siŵr y bydd yr anrheg yn wych. Dyw Ems erioed wedi fy siomi.

Gadewais i'r dref yn gynnar er mwyn dod adref, ond dwi'n hanner difaru nawr. Wedi'r cwbl, dyw cartref y Lewisiaid ddim yn diasbedain â miri'r ŵyl ar hyn o bryd! Wrth imi gerdded at ddrws y ffrynt roedd hyd yn oed y goeden Nadolig yn ffenest y lolfa'n edrych fel petai'n dyheu am y Pasg. Petai gronyn o sens ym mhen y boi mawr tew 'na sydd â'i farf yn llaes a'i wallt yn wyn fyddai fe ddim yn trafferthu dod i lawr ein simnai ni eleni! I beth?

Nadolig Llawen!

12

Wel, fe ddaeth ac o'r diwedd fe aeth – Dydd Nadolig, hynny yw. A dwi'n sobor o falch fod y cyfan drosodd am flwyddyn arall a bod bron i ddeuddeg mis cyn imi orfod meddwl amdano unwaith eto. Wnes i erioed feddwl y byddwn i, Angharad Lewis, merch bedair ar ddeg oed Nia ac Eifion Lewis, yn meddwl fel hyn ond mae'n wir. Mae'n fwy o drafferth na'i werth. Wedi dweud hynny, os dwi'n onest, doedd e ddim cynddrwg ag roeddwn i wedi'i ofni. O leiaf fe wnaeth y ddau ohonyn nhw ymdrech i fod yn waraidd. Gwnaeth pawb ymdrech, a bod yn deg, hyd yn oed Catrin, ond bod ymdrechion Catrin wastad yn llai egnïol ac yn llai amlwg nag ymdrechion pawb arall. Gyda llaw, roeddwn i'n iawn am yr anrhegion. Ffôn symudol newydd sbon danlli i gadw mewn cysylltiad â'r tad absennol 'unrhyw awr o'r dydd cofia, 'sdim ots pryd' (mor ystyriol!) ac arian i brynu llwyth o ddillad newydd, ''sdim ots beth, treta dy hunan' (dylanwad y fam ofalus ond euog, mae'n siŵr).

Roedd heddiw'n well. Terra nova i'r teulu dedwydd. Torri ar arfer oes. Aethon ni draw i dŷ Wncwl Dewi ac Anti Llinos fel roedden ni wedi trefnu a chafwyd amser da gan bawb; amser da iawn, a dweud y gwir, achos roedd digon o bobl eraill yno i wthio'n hobsesiwn newydd o'r neilltu am brynhawn cyfan a'i roi yn y bin sbwriel gyda gweddill y gwastraff Nadoligaidd. Roedd Mam-gu Cwm yno ac roedd hi, fel mae hi bob amser, yn gwtshlyd ac yn ddoniol ac yn dweud ei barn yn ddiflewyn-ar-dafod am bethau mawr a bach y byd, heb orfod poeni a oedd hi'n brifo rhywun ai peidio. Roedd hi'n normal, a dyna oedd yr anrheg Nadolig orau ges i eleni. Mae'n od, on'd yw hi, sut y bydd hen bobl yn llwyddo mor aml i daro'r cywair iawn. Pam tybed? Ydyn nhw'n fwy call na phawb arall, neu'n fwy caled? Neu efallai eu bod nhw wedi gweld popeth o'r blaen ac felly'n llai parod i adael i fywyd eu brifo? Mae'n rhaid bod Mam-gu'n poeni am ein teulu ni, ond wnaeth hi ddim dangos hynny i neb heddiw. Dyna sy'n wych am Mam-gu, dyw hi byth yn collfarnu neb er bod ganddi farn.

Roedd hi'n wirioneddol anobeithiol pan aethon ni ati i chwarae *charades*. Sôn am ddoniol! Doedd dim clem ganddi ac roedd hi'n methu'n deg â chadw at y rheolau a meimio'n dawel heb agor ei cheg. Roedd pawb yn chwerthin nes eu bod nhw'n wan. Dwi'n siŵr ei bod hi wedi cael gormod o sieri Wncwl Dewi, er iddi wadu hynny pan ddechreuodd Dad dynnu ei choes.

'Angharad, gwed wrth dy dad am beidio â bod mor gul a dere i ishte ar bwys Mam-gu, cariad, i helpu fi 'da'r hen gliwie 'ma. Sa i'n gwbod pwy yw hanner y bobol. Wyt ti'n gwbod pwy yw . . .'

'Aisht, smo chi fod i' ddarllen e mas yn uchel, Mam!'

'Gwranda arno fe, Angharad. Ca dy ben, Eifion, a

dere â sieri bach arall i dy fam. Ma' Angharad yn whare 'da fi, on'd wyt ti, bach?'

A rhywbeth tebyg oedd hi weddill y dydd.

Pan ddaethon ni adref roeddwn i'n teimlo'n wirioneddol hapus am y tro cyntaf ers wythnosau a dwi'n credu bod Mam a Dad yn hapus hefyd. Neu ai fi sy'n gobeithio hynny? Achos beth bynnag ddigwyddiff yn y pen draw dwi'n gobeithio y byddan nhw'n hapus. Mae'n swnio'n gawslyd ond dyna uchelgais y rhan fwyaf o bobl. Mae cymaint o bethau'n dibynnu ar fod yn hapus ac mae bod yn hapus yn dibynnu ar gymaint o bethau.

Dwi newydd drio ffonio Ems ar fy ffôn newydd i ddiolch iddo am y freichled, ond doedd dim ateb ar ffôn y tŷ ac mae e wedi diffodd ei ffôn symudol am ryw reswm. Peth od hefyd, achos mae Ems yn byw a bod ar ei ffôn.

13

Mae fflat Dad yn fach iawn. Un stafell wely, lolfa, y gegin leiaf welsoch chi yn eich byw a stafell molchi gul. Does dim lle i fawr ddim a byddai'n rhaid ichi fynd mas i'r stryd i newid eich meddwl! Nid bod mymryn o obaith y bydd Dad yn gwneud dim byd o'r fath wrth gwrs. Jobyn da bod Catrin wedi gwrthod dod gyda ni. Fyddai hi, Rhod a fi byth wedi ffitio. Mae pethau Dad ar hyd y lle mewn bocsys o hyd. Dyw e ddim wedi gwneud llawer o ymdrech i ddadbacio fawr ddim. Dwi'n holi fy hun tybed beth mae hynny'n ei awgrymu, ond yr ateb sy'n dod 'nôl dro ar ôl tro yw dim byd. Dyw e ddim yn awgrymu dim byd. Mae'n rhan o'r dim byd mawr sy'n cymryd drosodd bellach.

Dwi ddim yn lico'r fflat a dwi ddim yn moyn bod yma, a dweud y gwir. Mae'n ddigon glân ond does dim graen arni, ac mae angen cot o baent ym mhobman. Mae ôl bywyd y bobl oedd yn arfer byw yma cyn Dad i'w weld yn y marciau bach ar y walydd lle roedd lluniau'n arfer bod ac ar y celfi cyffredin. Dim byd mawr, ond digon i'n hatgoffa taw lle rhywun arall yw hwn. Lle dros dro. Mae mas tu fas yn waeth os rhywbeth. Un fflat mewn bloc o chwech mewn stryd ddi-nod. Adeilad llwyd, di-nod mewn stryd ddi-nod, y math o adeilad sy'n perthyn i unrhyw dref ac eto sydd ddim yn perthyn i unman chwaith. Doedd fy nhad ddim hyd yn oed yn gallu trefnu golygfa deidi. Chi'n gweld, ar y llawr gwaelod mae ei gartref newydd e!

Dyw Dad ddim yn holi rhyw lawer am Mam bellach ond mae'n holi'n perfedd ni am Catrin er bod honno'n gwrthod gwneud rhyw lawer â fe. Dyna pam efallai. Maen nhw'n dweud bod gan bobl obsesiwn ynglŷn â phethau sydd ychydig y tu hwnt i'w gafael. Efallai taw cywreinrwydd yw e. Efallai taw consýrn. Neu efallai taw gêm yw'r cyfan. Hwyrach ei fod e'n dal i deimlo ei bod hi'n werth brwydro yn achos Catrin.

'Pam nag yw hi'n folon dod 'ma gyda chi'ch dou?'

'Sa i'n gwbod, Dad. Wyt ti wedi gofyn iddi hi?'

'Dwi 'di trio sawl gwaith. O'n i'n meddwl walle 'i bod hi wedi sôn rhwbeth wrthot ti neu Rhod.'

'Wel, a gweud y gwir, smo Catrin yn siarad rhyw lawer â neb. Ti'n gwbod shwt un yw hi.'

'Ody hi'n grac iawn gyda ni?'

Pan ddywedodd e hynny roeddwn innau'n teimlo'n grac. Roeddwn i'n grac fod y *charade* yn dechrau dod i ben mor fuan. Pam ddylai Catrin deimlo'n grac? Pam ddylai neb deimlo'n grac? Wedi'r cyfan, rhyw drefniant dros dro oedd hwn yntefe? Swydd newydd yn arwain at amgylchiadau newydd a phawb yn gorfod ymdopi am y tro. Tynnu ynghyd fel teulu. Er bod pawb yn gwybod y gwir go iawn, roeddwn i'n disgwyl i benseiri'r twyll barhau â'u *charade* am ychydig eto cyn cyfaddef, neu fe ddylsen nhw fod wedi dweud y gwir o'r dechrau. Achos cyfaddefiad o fath oedd ymhlyg yn ei gwestiwn am Catrin. Wps! Rwyt ti wedi pisho ar dy dsips fanna, yr hen Eifs! Tyn dy gwestiwn 'nôl! Rhy hwyr!

'Ddim mwy na Rhodri a fi! Pa fath o gwestiwn yw hwnna?' Edrychais i fyw ei lygaid ond dwi ddim yn gwybod am beth roeddwn i'n chwilio chwaith. Dwi ddim yn gwybod a oedd angen chwilio am ddim byd mwy.

Cododd fy nhad heb ateb ac aeth draw at y ffenest. Doedd dim unman arall i fynd. Safodd yno am rai munudau'n syllu mas ar y tai dros y ffordd ac oferedd ei gwestiwn a'r ymateb a roddais iddo'n tagu'r awyr.

'Chi'n ffansïo mynd am dro bach i'r traeth?' gofynnodd, heb droi i'n hwynebu.

Edrychodd Rhodri arna i a gallwn ddarllen ei feddwl. *Tro bach i'r traeth yng nghanol wythnos ola'r flwyddyn!*

'Iawn,' meddwn i. Roedd angen ehangder mawr y traeth a'r môr ar y tri ohonon ni yr eiliad honno.

*

'Shwt le sy 'da fe 'te?'

Bues i bron ag anwybyddu cwestiwn fy chwaer, yn rhannol am ei fod mor annisgwyl ac yn rhannol am nad oedd hi wedi yngan mwy na hanner dwsin o eiriau digon diddim â fi ers inni ddod 'nôl o

Aberdaugleddau ddeuddydd ynghynt. Edrychais i arni ond doedd gen i ddim awydd ateb ei chwestiwn.

'Wel?'

'Wel beth?'

'Wel, shwt le sy 'da fe yn Aberdaugleddau?'

'Gwranda, Catrin, os wyt ti'n moyn gwbod shwt le sy 'da fe, cer i weld drosot ti dy hun! Dere gyda Rhodri a fi y tro nesa. Byddwn ni'n mynd 'to ymhen pythewnos ac eto rhyw bythewnos ar ôl hynny. Rhwbeth iti edrych 'mlaen ato, yn gwmws fel dw i a Rhodri'n ei wneud!'

Fflachiodd llygaid fy chwaer arna i cyn iddi neidio ar ei thraed a saethu trwy ddrws y lolfa fel mae'n arfer gwneud. Rhy agos at y gwir? Rhy anghyfforddus? Ai dyna oedd e? Syndod a rhyfeddod! Roedd y chwaer fach wedi dal ei thir! Roedd Angharad Anodd wedi meiddio herio Catrin Fawr. Mae'r gwirionedd yn brifo weithiau, ond y gwir yw fod gen i drueni drosti hefyd. Dwi'n deall ei phenbleth ond alla i ddim gwneud mwy. Dwi ddim eisiau gwneud mwy. Achos dwi wedi danto. Rhwng pawb a phopeth dwi wedi cael llond bola. Cwestiynau Dad. Cwestiynau Catrin. Cwestiynau. Cwestiynau. Cwestiynau. Wel, dwi ddim yn barod i ateb rhagor. Dwi'n moyn fy mywyd 'nôl!

14

Anji: Ems, t yno?

Ems: Haia bebs! Shwd wyt t ers lawer dydd? Le t d bod?

Anji: Blydi cheek! V d ffono t sawl gwaith a byth n cael ateb.

Ems: Vn gwbod. Torrodd ffon v ond mae nol nawr.

Anji: Blwyddyn Newydd Dda!

Ems: A tithe! Blwyddyn Newydd Dda Ichi, Llond Bot o Gaaachu!

Anji: Beth!!! Tn ofnadw!! XXX Be gest t Dolig?

Ems: Arian yn benna . . . a dillad. Trainers newydd. Pethe felna. T?

Anji: Ffon. Arian i brynu dillad. Pethe felna.

Ems: Cwl.

Anji: Shwd wyt t te? Tn cadwn ddiarth!

Ems: Ha-ha! XXX

Anji: Wel?

Ems: Wel beth?

Anji: Le t d bod?

Ems: Fishi da'r ddrama.

Anji: Yn ystod y gwylie?!!! Yeah, yeah!!!

Ems: Wir i t! V d bod yn cwrdd a'r criw drama i drafod tic tacs. Celfyddyd cariad!!

Anji: Paid! Vn mynd i hwdu!

Ems: Piss off!

Anji: Thanciw fawr! Dy ffrind gore cofia!

Ems: Shwd wyt t te?

Anji: Oreit. Wedi bod n well. Es i weld Dad yn Aber2gleddau da Rhod.

Ems: Cwl!

Anji: Na, odd e ddim yn blydi cwl.

Ems: Pam?

Anji: T erioed d bod yno ganol gaea? Mae'n dwll. Twll tin y byd.

Ems: Sori!!!!

Anji: Pryd vn mynd i weld t?

Ems: Unrhyw bryd. Be tn neud fory?

Anji: Dim. Trip bach i Bertawe?

Ems: OK

Anji: Llwyth o bethe da v weud wrthot t.

Ems: Fel beth? Dere. Gwed nawr!

Anji: Na, fory.

Ems: Nawr!

Anji: Fory!

Ems: Faint o'r gloch?

Anji: 2. Sgwar y Castell?

Ems: OK. Be there or be SQUARE!

Anji: Odd hwnna'n uffernol. Tn mynd n waeth!

Ems: Caru t XXX

Anji: Caru t XXX

Dwi'n methu aros tan fory! Dwi ddim wedi gweld Ems ers achau, ers diwrnod ola'r tymor. Erbyn meddwl, dwi ddim wedi siarad ag e chwaith ac mae hynny'n anghyffredin iawn iawn achos fel arfer fyddwn ni byth yn mynd fwy na dau neu dri diwrnod heb sesiwn hirfaith ar y ffôn. Dwi angen ei holi am fusnes y bwlian. Ydy'r negeseuon ffiaidd 'na'n dal i gyrraedd? Ydy e'n iawn? Mae bai arna i am adael i bethau fynd mor hir, ond mae wedi bod fel . . . fel ffair rhwng popeth. (Angharad, wyt ti wedi clywed dy hunan? Ti'n swnio fel hen fenyw!) Ond mae'n wir, mae *wedi* bod fel ffair! O wel, 'sdim ots am hynny bellach achos fory dwi'n mynd i ddala lan â gwerth pythewnos o glecs gyda'm ffrind gorau a dwi'n mynd i wario fy arian 'Dolig ar lwythi o ddillad newydd a dwi'n mynd i gael barn fy *'style guru'* personol am brynhawn cyfan a dwi'n mynd i joio, joio, joio! Therapi! Therapi! Therapi! Dwi ddim yn credu y bydda i'n gallu cysgu heno.

*

Pan welais i nhw roeddwn i am i'r ddaear agor a'm llyncu. Roeddwn i am redeg o'u golwg nhw ac ymhell o olwg y sgwâr, ond roeddwn i'n rhy hwyr. Fi oedd yno'n gyntaf, yn eistedd ar y fainc fel roedden ni wedi trefnu. Dau o'r gloch. *Be there or be square.* Pan ddarllenais i ei neges destun wnes i ddim meddwl dwywaith a wnaeth yntau ddim sôn gair. Dim ond tecst cyflym i ddweud y byddai fe'n hwyr. *Wedi colli'r bws. Fydda i ddim yn hir.* Felly, symudais i ddim o'r fainc. Arhosais yno fel ffan eiddgar yn eistedd yn rhes flaen rhyw theatr yn barod i wylio'i hoff fand neu ei hoff ddrama am y canfed tro. Ond pan welais i nhw'n brasgamu'n theatraidd tuag ata i, fraich ym mraich, roeddwn i eisiau ffoi. Roeddwn i am newid y cast. Ems oedd yn y canol (wrth gwrs) a rhyw fachgen a merch o'r criw drama bob ochr iddo.

'Haia bêbs. Sori bo' ni'n hwyr! Ti 'di bod 'ma'n hir?'

Cyn imi gael cyfle i ymateb dyma fe'n troi at ei ddau ffrind newydd.

'Anji – Caitlin, Caitlin – Anji. Anji – Iwan, Iwan – Anji!'

Roeddwn i am ddatgan taw Angharad oedd fy enw a dim ond Ems oedd yn cael galw Anji arna i, ond nid dyna ddaeth o'm ceg.

'Haia, chi'n iawn?' gofynnais yn llipa.

Roeddwn i'n gynddeiriog gyda fi fy hun am fod yn gymaint o gachgi. Ond roeddwn i'n fwy cynddeiriog gydag Ems. Doedd ganddo ddim hawl dod â'r rhain gyda fe. Ein prynhawn ni oedd hwn i fod. Ems a fi. Dilynais i nhw'n ufudd drwy'r sgwâr, hanner cam y tu ôl iddyn nhw, gan ymuno â'r miloedd o siopwyr a lenwai'r stryd ddidraffig ar eu ffordd i chwilio am fargeinion y flwyddyn newydd. Dyna sut roeddwn i wedi dychmygu y bydden ni'n dau'n treulio'r prynhawn ond nawr roeddwn i'n gorfod rhoi heibio unrhyw gynllun o'r fath. Aethon ni i ryw siop oedd yn gwerthu cylchgronau cwlt Americanaidd, uffernol o anniddorol am fod Iwan eisiau mynd yno. Aethon ni i gyntedd Theatr y Grand am fod Caitlin am gasglu Rhaglen y

Gwanwyn (ble mae'r bwced?!) ac aethon ni i gael sglods yn y caffi lle mae Ems a fi'n mynd fel arfer, ond doedd dim tamaid o chwant bwyta arna i ac eisteddais wrth ochr Caitlin yn wynebu Iwan ac Ems gan wrando ar eu jôcs crap, gan orfodi fy hun i chwerthin, gan orfodi fy hun i ffalsio yn y mannau iawn.

Ac felly buodd hi am weddill y prynhawn nes imi gyhoeddi'n rhy gynnar fy mod i'n gorfod mynd adref i weld Dad. I weld Dad! Am ei fod e wedi dod lan yn arbennig o Aberdaugleddau ac oherwydd y byddai'n mynd nôl 'fory. Ac wrth i'r geiriau adael fy ngheg roeddwn i'n grac unwaith eto am fy mod i wedi dweud y fath beth, am fy mod i wedi datgelu gormod, am fy mod i wedi codi ymyl y llen ar ddrama fy nheulu. Pa fusnes oedd e iddyn nhw?

Wrth i Ems fy nhynnu tuag ato a'm cofleidio yn ei ffordd arferol wrth inni ffarwelio â'n gilydd, bues i bron â cholli'r frwydr ond llwyddais i ddala'r dagrau 'nôl. Codais fy llaw a dweud 'ta-ra!' mor siriol ag y gallwn i a throis y ffordd arall ac ymdoddi i ganol y dorf. Ac wrth imi gerdded i'r orsaf fysiau gallwn deimlo'r gwlybaniaeth cynnes, hallt yn llifo ar hyd fy wyneb oer ac i lawr at fy ngwddwg gan wlychu ymylon fy sgarff a'm gwallt. Pan ddaeth y bws i fynd â fi adref, es i eistedd tua'r cefn, nid reit yn y cefn achos mae sedd gefn unrhyw fws ar gyfer chwerthin a hwyl. A'r holl ffordd adref allwn i ddim peidio crio wrth feddwl am ddigwyddiadau'r prynhawn. Mae e wedi fy mrifo i'r byw a dwi ddim yn gwybod beth i'w wneud.

15

Wnes i erioed feddwl y byddwn i'n dweud y fath beth, ond does dim byd tebyg i sesiwn galed o adolygu er mwyn lliniaru loes. O ddifrif! Mae fel neidio i mewn i bwll nofio am bythefnos a diflannu o dan y dŵr gan adael iddo iro'r meddwl a'r corff. Mae fel nofio 'nôl ac ymlaen, 'nôl ac ymlaen ar hyd y pwll, o un pwnc i'r llall. Mae'n gwneud i rywun ganolbwyntio ar gyrraedd y lan ar draul popeth arall ac mae'n cymryd cymaint o egni i'w gyflawni. Ond wrth ddod mas y pen arall, rydych chi'n berson gwahanol ac mae amser wedi cael cyfle i wneud ei waith a gwella'r clwyf. Dyna sut dwi'n teimlo'r eiliad hon, fy mod i wedi helpu amser i wneud ei waith. Fy mod i wedi symud ymlaen.

Mae pethau'n wahanol iawn rhwng Ems a fi bellach. Rhwng yr arholiadau a'r holl adolygu'n ddiweddar, prin fy mod i wedi bod yn ei gwmni am fwy na munud neu ddwy ar y tro, a hyd yn oed bryd hynny fyddwn ni byth heb gwmni'r lleill. Bydda i wastad yn gwneud yn siŵr bod Steff neu Sioned yno hefyd, neu Rashid. Mae'n gwneud pethau'n haws. Mae'n llai lletchwith. Mae e wedi sylwi, dwi'n eithaf sicr o hynny, ond dyna fe. Dyna fel mae'n gorfod bod. Dyna sy'n fy siwtio i ac rwy'n credu, os dwi'n onest, taw dyna sy'n ei siwtio fe hefyd. Nawr bod yr arholiadau wedi dod i ben, y ddrama flynyddol sy'n mynd â'i fryd unwaith eto, ond dwi wedi hen roi'r gorau i'w holi sut mae'n mynd. A dweud y gwir, dwi ddim yn ei holi am ddim byd a dwi ddim angen esboniad am ddim byd ganddo chwaith. Dwi wedi symud ymlaen.

Nos yfory dw i a merch o'n dosbarth ni, Chloe yw ei henw, yn mynd mas i ddathlu diwedd yr arholiadau a dwi'n edrych ymlaen yn ofnadwy! Rydyn ni'n dwy wedi dod yn ffrindiau mawr dros yr wythnosau diwethaf. Mae hi'n gwneud imi chwerthin fel roedd Ems yn arfer ei wneud. Felly, nos yfory rydyn ni'n mynd mas gyda'n gilydd. Roeddwn i wedi hanner meddwl gofyn i Steff a Rashid ddod gyda ni ond dywedodd Chloe na fyddai hynny'n syniad da. A dwi'n cytuno mewn ffordd. Weithiau mae'n braf mynd mas gyda dim ond un ffrind, gyda merch, heb y bechgyn. Fy syniad i oedd mynd i wario fy arian 'Dolig yn y sêls o'r diwedd cyn iddyn nhw ddod i ben, a gweld *chick flick* ar ôl sesiwn hir o siopa, ond dywedodd Chloe fod ganddi well syniad. Mae'n pallu dweud mwy, felly 'sdim clem gyda fi beth mae wedi'i gynllunio. Mae hi mor ddoniol fel'na.

Dwi'n gobeithio 'mod i wedi gwneud yn weddol yn yr arholiadau. Fyddwn ni ddim yn dechrau cael y marciau tan yr wythnos nesaf. Dylwn i fod yn iawn yn Ffrangeg, Cymraeg a Hanes ac efallai Bioleg, ond dwi ddim yn hyderus o gwbl am Fathemateg. Dwi'n ffaelu gwneud Maths, a dyna fe! Mae mor syml â hynny. Person geiriau ydw i, yn ôl Mam-gu. Mewn geiriau eraill, mae hi'n meddwl 'mod i'n siaradus! Pan ddywedais i hynny wrth Chloe buodd hi bron â gwlychu ei hunan. Ond dwi'n dibynnu ar Ffrangeg, fy hen ffrind, fy ffrind gorau, am farc da eto eleni. *Le français, mon ami* . . . sut mae dweud *ffrind gorau* yn Ffrangeg, tybed? Dy'n ni ddim wedi dysgu hynny eto. Neu ai fi sydd wedi anghofio?

16

'Felly ti yw Angharad. Smo Chloe 'di stopid siarad abythdu ti. Angharad, Angharad, Angharad. 'Na gyd dwi'n glywed ers wthnose! Wel, Angharad, mae'n hyfryd cwrdd â ti o'r diwedd.'

'A chithe, Mrs Nichols.'

'Galwa fi'n Sara, plîs. 'Sneb yn galw Mrs Nichols arna i, nag oes e, Chloe?'

Codi'i haeliau wnaeth Chloe heb drafferthu i ateb ei mam.

'And this is Phil, Chloe's dad. Smo Phil yn siarad Cwmrâg ond mae fe'n deall popeth. Don't you, bach? Smo fe'n colli dim!'

'Hia, love. So you two girls are goin' out tonight 'en are you. Will you be wantin' a lift, Chloe?'

'Cheers, Dad. Can you take us to town? We're thinkin' of goin' to the pictures, aren't we Angharad?'

'Ond Chloe, sa i 'di dod â dillad addas. O'n i ddim yn gwbod bod ni'n mynd i Abertawe!'

'Paid di â becso. Elli di gael mincyd top 'da Chloe. Ma cannoedd 'da hi! Cer ag Angharad lan llofft i ddewis rhwbeth.'

Mae rhieni Chloe mor cŵl. Maen nhw'n fy atgoffa i mewn ffordd o rieni Ems ond eu bod nhw'n fwy cŵl na nhw. Mae Mrs Nic . . . sori, Sara . . . yn gwneud i fi

74

chwerthin gymaint. Mae hi mor glam. Mae ganddi wallt du, du ac mae ei chroen yn ymylu ar fod yn frown. Rhaid ei bod hi'n treulio oriau'n gorwedd ar welyau haul achos mae un peth yn sicr, nid haul Cymru sy'n gyfrifol amdano fe! Mae hi a Phil yn ddoniol iawn gyda'i gilydd. Maen nhw wastad yn pryfocio'i gilydd, ond mewn ffordd neis. Maen nhw mor garedig ac mae tŷ ffantastig ganddyn nhw. Dwi ddim wedi gwahodd Chloe i'n tŷ ni eto ond dwi'n bwriadu gwneud rywbryd, pan fydd yr amgylchiadau'n iawn.

*

Dwi ddim yn credu y byddai Mam wedi bod hanner mor amyneddgar â Sara pan ddaethon ni 'nôl o Abertawe y noson honno. Roedden ni mor hwyr yn un peth. Wel, fe ges i fenthyg top gan Chloe a chawson ni lifft gan Phil i'r dref.

Gadawodd e ni ar bwys yr orsaf drenau a cherddon ni ar hyd y Stryd Fawr, heibio'r siopau gwag a'u ffenestri wedi torri, heibio'r siopau tsiêp a werthai lwythi o bethau diangen, i gyfeiriad y castell. Doeddwn i ddim wedi bod yn Abertawe mor hwyr y nos heb oedolyn o'r blaen. Mae'n gwbl wahanol i'r hyn yw e yn ystod y dydd pan mae'r strydoedd yn llawn siopwyr. Mae'r synau'n wahanol rywsut. Maen nhw'n llai cyfeillgar, yn llai llawn. Roedd hyd yn oed Sgwâr y Castell, sydd fel arfer mor gyfarwydd, i'w weld yn rhyfedd. Roedd hwnnw hefyd yn llai cyfeillgar, yn llai llawn. Cerddon ni i lawr y grisiau llydan ac ar draws y sgwâr nes i Chloe arafu ei chamau a mynd i eistedd ar fainc yn ymyl y ffynnon yn y gwaelod. Doedd fawr o awydd eistedd arna i gan ei bod hi mor oer ac roedd sŵn y dŵr yn byrlymu yn y ffynnon yn gwneud imi deimlo'n oerach fyth. Ond dilyn Chloe oedd raid ac eisteddon ni'n dawel am funudau hir heb dorri'r un gair, fel petaen ni'n aros i rywbeth ddigwydd, ond ddigwyddodd dim byd. Gwyliais i ambell berson yn brysio drwy'r sgwâr ar ei ffordd i rywle mwy croesawgar ac edrychais ar y camerâu diogelwch oedd yn ein gwylio drwy ganghennau moel y coed. Yna, yn hollol ddirybudd, tynnodd Chloe botel o'i bag a dadsgriwio'r top cyn troi tuag ata i a gwenu. Gwenais i 'nôl ond doeddwn i ddim yn sicr pam ar y pryd. Cododd y botel at ei cheg a dechrau yfed ohoni'n araf.

'Ti'n moyn peth?' gofynnodd hi.

'Beth yw e, fodca?'

'Ie. Hwra,' atebodd a chynnig y botel hanner litr i mi.

'Ble gest ti fe?'

'Dwges i fe o'r tŷ,' meddai'n hunanfodlon.

'Ond beth wediff dy rieni pan ffindan nhw mas?' gofynnais, gan wneud fy ngorau i beidio ag ymddangos yn rhy ddiniwed, yn rhy syn.

'Wnân nhw ddim sylwi,' atebodd Chloe'n hyderus. 'Ma llwythi gyda nhw, yn enwedig amser 'ma'r flwyddyn. Yf e.'

Codais innau'r botel at fy ngwefusau a dechrau

yfed yr hylif meddal. Doedd hwn ddim fel y sieri y byddai Mam-gu'n gadael imi ei yfed o'i gwydryn yn dawel fach bob Nadolig. Roedd hwnnw'n felys ond doedd hwn ddim. Roedd hynny o flas oedd arno bron â bod yn hallt. Llyncais lond ceg ohono a theimlo'r alcohol yn llosgi fy llwnc yn gyntaf ac yna fy mrest. Estynnais y botel 'nôl i Chloe heb wneud unrhyw sylw.

'Mae'n neis, on'd yw e?' meddai.

'Ody,' atebais yn gelwyddog.

'Ti'n moyn rhagor?'

'Iawn,' atebais gan ddweud celwydd am yr eildro, ond roeddwn i'n weddol siŵr nad oedd fy ffrind wedi sylwi ar fy niffyg brwdfrydedd. Felly yfais gegaid arall a gwnaeth Chloe'r un fath.

'Dere 'mla'n. Ni'n mynd i ga'l tam bach o hwyl!' cyhoeddodd hi'n sydyn gan godi ar ei thraed a dechrau cerdded i gyfeiriad goleuadau Stryd y Gwynt yr ochr arall i'r sgwâr. Ar hynny, plethodd ei braich am fy mraich innau ac aeth y ddwy ohonon ni, heb siarad, i gyfeiriad y sŵn a lenwai'r stryd. Roedd y lle'n llawn myfyrwyr oedd newydd ddychwelyd i'r ddinas ar ôl gwyliau'r Nadolig ac roedd pawb i'w weld mewn hwyliau da. Cerddon ni ar hyd y stryd, heibio'r hen adeiladau hardd a heibio'r grwpiau o fechgyn yn bennaf a safai y tu allan i'r bariau prysur nes cyrraedd y pen pellaf. Buon ni'n sefyllian yno am ychydig funudau cyn troi 'nôl i gyfeiriad y castell, heibio'r un bechgyn oedd yn smygu ac yn chwerthin yn eu bydoedd bach eu hunain yn oerfel diwedd mis

Ionawr. Roeddwn i'n oer iawn erbyn hyn ac roeddwn i bron â marw eisiau mynd i mewn i rywle i dwymo, ond gwyddwn nad oedd dim gobaith gwneud hynny.

Yr eiliad honno, fel petaen nhw'n ategu fy amheuon, dyma un o'r smygwyr yn gweiddi draw ar ein holau a dechreuodd y lleill chwerthin yn uchel. Roedd hi'n amlwg taw Chloe a fi oedd gwrthrych eu gwawd. Tynnodd Chloe fi'n nes ati a chyflymu ei chamau, ond rhedodd un o'r bechgyn ar ein holau a gwneud ystumiau goramlwg er mawr ddifyrrwch i aelodau eraill y grŵp. Cydiodd e ym mraich Chloe a cheisio'i thynnu tuag ato. Llwyddodd hi i dorri'n rhydd. Safodd ei thir a throi i'w wynebu.

'Piss off, dickhead!' gwaeddodd a sefyll yn herfeiddiol yng nghanol y stryd goediog.

'Hey, Llew mun, leave the little tart alone. You don' wanna mess with tha' one or you'll get banged up for six years!' galwodd un o'r lleill. Bonllefau o chwerthin unwaith eto. 'Come on girls, home to bed now! It's nearly ten o' clock!'

Ein tro ni oedd chwerthin wedyn wrth ruthro ar hyd y stryd gan adael y bechgyn a sŵn cerddoriaeth a goleuadau tafarndai a gwynt cwrw o'n hôl. Dwi ddim yn gwybod pam wnes i chwerthin achos roedd ofn arna i ar y pryd. Cerddon ni ar draws canol y ddinas ac allan i'r ffordd a arweiniai at dŷ Chloe, ond gwyddwn fod hwnnw filltiroedd i ffwrdd. Eto, doedd gen i ddim dewis ond dilyn fy ffrind. Bob hyn a hyn byddai hi'n tynnu'r fodca o'i bag, a rhwng y ddwy ohonon ni fe yfon ni bob diferyn ohono. Dwi ddim yn cofio beth yn union ddigwyddodd i'r botel ond rhaid bod Chloe wedi'i thaflu i ryw berth gyfagos achos chlywais i ddim sŵn gwydr yn torri.

Cerddon ni yn ein blaenau am hydoedd a dyna pryd y dechreuais i deimlo'n sâl. Roedd fy nghoesau'n drwm a gwyddwn na allwn i fynd gam ymhellach. Ond roedd yn rhaid dal ati. Teimlai'r nos yn hir ac roedd hi'n teimlo fel petaen ni wedi bod yn cerdded am oriau. Doedd gen i ddim syniad faint o'r gloch oedd hi ond roeddwn i'n siŵr ei bod hi'n hwyr. Dechreuais i boeni am gyrraedd adref. Dechreuais i boeni am Mam ac am y stŵr oedd yn sicr o ddilyn, cyn cofio fy mod i wedi trefnu cysgu dros nos yng nghartref Chloe, a llifodd y rhyddhad drwy fy nghorff. Dwi'n cofio eistedd ar y llain wair wrth ochr y ffordd hir, ddidraffig, a llefain. Dwi'n cofio braich Chloe'n lapio am fy ysgwyddau a dwi'n cofio'i hymdrechion i'm sicrhau y byddai popeth yn iawn wrth iddi ddweud drosodd a throsodd ein bod ni bron â chyrraedd ei thŷ. Roeddwn i'n oer iawn ac roedd fy mhen yn troi ond roedd llawer gwaeth i ddod. A phan ddaeth ymhen ychydig funudau roeddwn i'n teimlo'n uffernol achos fe chwydais dros fy esgidiau a thros lawes top benthyg Chloe. Doeddwn i ddim yn gwybod beth i'w wneud. Roeddwn i'n dyheu am gael dianc o'r hunllef. Yn fuan wedi'r perfformiad chwydlyd wrth ochr yr hewl dechreuais i deimlo'n well, ond ymhell o fod yn iawn. Buon ni'n cerdded eto am ryw awr arall cyn cyrraedd tŷ Chloe. Bob cam o'r daith roeddwn i'n poeni am ymateb ei rhieni.

Roeddwn i'n poeni am eu camarwain trwy awgrymu ein bod ni'n bwriadu mynd i'r sinema. Roeddwn i'n poeni am gyrraedd adref mor hwyr ac yn y fath stad.

Ond pan gamon ni drwy ddrws ffrynt y tŷ roedden nhw'n iawn. Oedden, roedden nhw wedi dechrau poeni, medden nhw, ond y peth pwysig oedd ein bod ni wedi cyrraedd adre'n saff a'n bod ni wedi cael amser da. Y peth gorau allen ni ei wneud yr eiliad honno fyddai mynd yn syth i'r gwely a doedd dim eisiau becso am drochi top Chloe am fod cannoedd o rai tebyg ganddi beth bynnag. A phan gwympais i ar y fatras wrth ochr gwely fy ffrind roedd y fath deimlad o ryddhad yn gymysg ag euogrwydd a chymhlethdod yn llenwi fy mhen. Roeddwn i eisiau bod gartref, ac eto, doeddwn i ddim. Yn fwy na dim roeddwn i'n falch na fyddai Mam yn gorfod fy ngweld i yn y fath stad. Roeddwn i eisiau mynd i gysgu er mwyn dechrau wynebu'r hyn oedd wedi digwydd â meddwl clir.

Ond pan ddihunais i'n hwyr fore trannoeth roedd fy mhen fel bwced ac roeddwn i'n falch iawn iawn bod Sara wedi ffonio Mam i ofyn tybed allwn i aros gyda nhw am noson arall am fod Chloe a fi'n cael amser mor dda.

17

Weithiau mae'n well gadael llonydd i bethau, dwi'n meddwl, rhag ichi fynd i fwy o dwll. Dyna pam y penderfynais i beidio â sôn wrth neb am fy noson fawr gyda Chloe. Ar ôl pwl mawr o euogrwydd, bues i bron â chyfaddef wrth Mam y gwir reswm dros aros am noson arall yn nhŷ Sara a Phil ond newidiais fy meddwl ar y funud olaf. Yn un peth, fyddai hi ddim wedi deall ac, yn ail, byddai lle ar y diawl wedi bod, dwi'n siŵr. Felly, penderfynais taw osgoi dweud dim fyddai orau dan yr amgylchiadau a chadw'r peth i mi fy hun. Fel'na, does neb yn cael ei frifo. Chwarae teg i Sara am chwarae'r gêm, am guddio'r gwir. Achos dyna wnaeth hi mewn gwirionedd, cuddio'r gwir yn hytrach na dweud anwiredd, ac mae 'na wahaniaeth pwysig rhwng y naill a'r llall. Dwi'n ei gweld hi'n hawdd siarad â Sara. Mae'n llai beirniadol na Mam. Efallai fod hynny'n wir am bob mam, a bod pawb yn ei gweld hi'n haws cyfathrebu â mam rhywun arall.

Mae Mam yn newid. Mae pob un ohonon ni'n newid ond mae Mam yn newid yn fwy na neb. Dwi'n credu weithiau ei bod hi'n ffynnu ar y patrwm newydd – bywyd heb Dad – (Angharad, mae hynny'n swnio fel petai e wedi marw, a dyw e ddim!) ond mae'n rhoi lot o straen arni hefyd. Mae'n od. Dwi wedi sylwi sut y bydd hi'n mynd mas o'i ffordd i drio gwneud bywyd mor debyg i'r hyn oedd e o'r blaen, ond dyw e ddim fel roedd e o'r blaen ac erbyn hyn rydyn ni'n tri, gan gynnwys Catrin, yn sylweddoli hynny hyd yn oed os nad ydyn ni'n cyd-fynd â'r rhesymau drosto fe. Buodd hi bron â chael haint pa ddiwrnod pan ddywedodd Rhodri wrthi fod ei le yn y tîm pêl-droed dan fygythiad am ei fod e wedi colli ambell sesiwn hyfforddi'n ddiweddar. Aeth hi i banics mawr ac roeddwn i'n teimlo mor flin amdani, ond dyna hefyd sy'n gwneud pethau mor anodd. Mae fel petai hi'n cario rhyw gwmwl mawr o euogrwydd ar ei chefn ble bynnag mae hi'n mynd ac mae hwnnw'n aml yn y ffordd ac yn gwneud i bawb ymddwyn yn annaturiol. Dyna sy'n braf am Sara, does ganddi ddim cwmwl i gymhlethu trefn pethau.

Beth bynnag, fe siaradodd hi â Dad am broblem Rhodri a nawr mae hi'n sôn am brynu car. Beth ddiawl ddigwyddodd i gynnig Ben? 'Unrhyw bryd, Mrs Lewis, dim ond gofyn sy eisie'! Mae hwnnw'n dal i hala'r pych arna i bob tro mae e'n dod i'r tŷ. Felly, nawr byddwn ni'n deulu-dau-gar ond yn deulu-un-rhiant. Un rhiant llawn amser ta beth. A dwi wedi sylwi ar rywbeth arall hefyd yn ddiweddar. Mae 'na lai a llai o sôn am y rhiant arall wrth i'r wythnosau fynd yn eu blaen. Mae'n frawychus, ond dyna fe. Fel'na mae a fel'na fydd hi os na newidiff hi, a dwi ddim yn ei gweld hi'n newid rywsut. *C'est la vie*! Gyda llaw, ces i naw deg tri y cant yn Ffrangeg! Fy marc gorau eleni.

18

Yn ôl pob sôn, roedd drama'r ysgol yn llwyddiant ysgubol a nawr mae pawb yn siarad am berfformiad gwych Ems. Rhaid ei fod e'n dda achos mae e wedi cyrraedd tudalen flaen y papur bro, a hynny o fewn wythnos i'r perfformiad. Gwyrth! Fel arfer mae'r newyddion yn hen fel pechod erbyn iddo ein cyrraedd, ond bob tro y bydd rhifyn newydd yn mynd ar werth yn siop Mr Patel bydd Mam-gu'n llyncu pob gair fel petai'n efengyl . . . a newydd ddigwydd. Ta beth, pan welais ei lun o dan y pennawd 'Seren newydd yn swyno ysgol', fe wnes i chwerthin nes fy mod i'n dost. Roedd e'n edrych mor ddoniol yn ei wisg dros ben llestri a'i wallt du, du ac roedd ei wep theatraidd yn bictiwr! Galla i ddychmygu Ems yn dwlu ar yr holl sylw, wrth gwrs. Bydd e'n esgus ymddangos yn hollol ddidaro ond, o dan yr wyneb, bydd e'n mwynhau pob eiliad o'i enwogrwydd newydd. Mae'n gymaint o siewmon. Dwi'n ei adnabod e'n well na neb a dwi'n wirioneddol falch drosto fe.

Es i ddim i weld y ddrama ond fe aeth Mam, Rhodri, Catrin a Ben yn y car newydd. Oes, mae gan Mam gar bach newydd ar ôl y drafodaeth gyda Dad. Wel, un ail law yw e, Renault Clio bach coch, ond mae'n newydd i ni. Mae rhan ohono i'n difaru peidio â mynd gyda nhw ond allwn i ddim wynebu'r holl ffwdan ar ôl clywed am Beca hwn, Beca'r llall, Beca, Beca, Beca, Beca, blydi Beca am wythnosau bwy'i gilydd. Felly, arhosais i gartref a daeth Chloe draw i gadw cwmni imi. Cawson ni noson i'r merched, noson o bleser pur yn arbrofi gyda'r llwyth o golur drud gafodd hi'n anrhegion Nadolig. Wel, mae'n rhaid gwneud pethau fel'na weithiau! Dysgu sgiliau newydd! Y peth mwyaf ddysgais i oedd fod Chloe'n gallu defnyddio colur yn well o lawer na fi.

Dwi ddim yn gwybod pam, ond roeddwn i'n eithaf nerfus pan ddaeth Chloe i'n tŷ ni am y tro cyntaf. Doeddwn i ddim yn siŵr sut y byddai Mam yn ymateb iddi. Roedd Chloe'n gyfarwydd â Rhodri ac yn lled gyfarwydd â Catrin ar ôl eu gweld nhw o bell yn yr ysgol, ond doedd hi erioed wedi cwrdd â Mam o'r blaen. Ta beth, doedd dim achos gen i boeni achos roedd Mam yn hyfryd gyda hi, er iddi ddweud ar ôl i Chloe fynd,

'Mae'n ferch hyderus on'd yw hi.'

Dwi ddim yn gwybod beth roedd hi'n ei feddwl wrth hynny ond mae'n ymddangos bod y ddwy yn eithaf hoff o'i gilydd hyd y gwela i.

Doedd Mam ddim yn hapus o gwbl pan ddywedais i nad oedd hi'n fwriad gen i fynd i weld y ddrama gyda nhw. Dwi'n credu ei bod hi'n teimlo y dylen ni fynd fel teulu i gefnogi Ems. Ond pan atebais i nad oedd hynny'n bosib ac na fydden ni'n mynd fel teulu cyflawn am nad oedd Dad gyda ni, ces lonydd ganddi a chlywais i ddim mwy. Ar ôl agor fy ngheg fawr dechreuais i ddifaru'n syth, achos dwi wedi dechrau rhoi'r gorau i feddwl amdanon ni fel'na, ond dyna ddaeth mas ar y pryd. Roedd hi wedi bod yn rhygnu ymlaen ac ymlaen am y peth bob dydd am wythnos gron, yn fy atgoffa i fod Ems yn hen ffrind, ond y gwir amdani yw nad yw Ems yn gymaint o ffrind bellach, a man a man i bawb sylweddoli hynny a'i dderbyn e fel ffaith.

Dwi innau'n gorfod derbyn pethau o hyd ac o hyd, fel penderfyniad Mam neithiwr i beidio â gadael imi fynd bant gyda Chloe a'i theulu i Sir Benfro dros hanner tymor. Pam? Doedd e ddim yn mynd i gostio dim byd iddi a does gen i ddim byd gwell i'w wneud dros y gwyliau. Roeddwn i'n disgwyl y byddai'n falch a wnes i ddim meddwl am hanner eiliad y byddai hi mor lletchwith, ond digon llugoer oedd hi, a dechreuodd hi sôn ei bod hithau wedi meddwl mynd â ni draw i Sir Benfro yn ystod hanner tymor i weld Dad a bod y cyfan yn ormod o fyr rybudd, bla bla bla. Roedd yn amlwg wrth ei hwyneb ei bod hi'n crafu am esgusodion, ac roeddwn i'n wirioneddol siomedig, ond fe wnes i dderbyn ei phenderfyniad.

Wel, beth bynnag, erbyn hyn dwi'n cael mynd! I Sara mae'r diolch am y newid meddwl. Ar ôl colli'r ddadl gyda Mam tecstais i Chloe neithiwr i roi'r newyddion drwg iddi a dyma Sara'n ffonio Mam y prynhawn 'ma i ofyn tybed a fyddai hi'n fodlon ailystyried y cynnig achos bod Chloe'n torri'i chalon nad oeddwn i'n cael dod.

'Un benderfynol yw'r Sara 'na,' oedd ymateb Mam

pan ofynnais iddi gynnau pam roedd hi wedi newid ei meddwl.

'Mae hi'n ofnadw o neis, Mam. Wir iti,' meddwn innau.

'Sa i'n ame dim, Angharad, ond sa i'n lico fe pan mae rhiant arall yn ffono i ofyn i fi newid fy meddwl a defnyddio'i merch i ddwyn perswâd arna i. Sa i erioed wedi ymyrryd fel'na mewn shwt bethe. Dyw e ddim yn iawn.'

'Pam wnest ti gytuno 'te?'

'Pam? Achos bod 'da fi ddim dewis, dyna pam! Angharad fach, rho dy hunan yn fy sefyllfa i. Ond fe weda i hyn wrthot ti, wnaiff e ddim digwydd 'to oni bai 'mod i'n hollol fodlon gadel iddo ddigwydd!'

Roeddwn i'n cytuno â hi yn y bôn ond ar yr un pryd roeddwn i'n falch iawn ei bod hi wedi rhoi ei chaniatâd. Pan es i eistedd yn ei hymyl ar y soffa er mwyn rhoi cwtsh iddi, gallwn weld y deigryn lleiaf yn cronni yn ei llygaid.

'Bydd di'n garcus, Angharad Lewis. Dyna i gyd weda i. Mae 'na rwbeth am y teulu 'na sy'n gwneud i fi deimlo'n anesmwyth. Sa i'n gwbod beth yw e ond . . .'

'Ond Mam, maen nhw mor neis!'

'Sa i'n gweud llai, ond dyw bod yn neis ddim yn ddigon bob amser.'

'Os nag wyt ti'n moyn i fi fynd, does dim rhaid i fi.'

'Dwi wedi gweud nawr dy fod ti'n cael mynd, felly dyna fe,' atebodd hi â mwy o bendantrwydd yn ei llais, ond rywsut gallwn weld wrth ei hwyneb ei bod hi'n bell o fod yn bendant ei meddwl, ac mae hynny'n fy mhoeni.

'Bydda i'n garcus iawn, Mam, oreit,' dywedais mewn ymgais i dawelu ei hofnau. 'Wthnos mewn bwthyn yn Ninbych-y-pysgod yng nghanol y gaea gyda Chloe, ei mam a'i thad a'i chwaer. Mam!'

Ar hynny, tynnodd hi fi tuag ati a'm gwasgu yn ei herbyn ac eisteddon ni felly am weddill y noson yn gwylio'r teledu ac yn yfed te. Am y tro cyntaf erioed sylweddolais i mor fregus yw Mam.

19

Wel, fu pethau ddim yn gwmws fel roeddwn i wedi'u rhagweld. Yn un peth, ddaeth Phil ddim gyda ni i Ddinbych-y-pysgod. Ar y funud olaf un, y bore roedden ni'n gadael, bu'n rhaid iddo fe dynnu 'nôl am fod archeb fawr wedi cyrraedd o'r Almaen. Mae gan Phil ei fusnes ei hun: ffatri sy'n cynhyrchu gwydrau neu rywbeth, ac mae e'n allforio i sawl gwlad. Yn ôl Sara, roedd rhyw gwsmer yn Hamburg wedi cynyddu ei archeb wreiddiol ac roedd angen anfon y gwydrau ychwanegol ar frys. Roedd y fenyw sy'n arfer gofalu am archebion y cwmni'n dost a doedd neb arall ar gael i hala'r nwyddau . . . ac yn y blaen. Y cynllun newydd, felly, oedd ein bod ni'r merched yn mynd draw i Sir Benfro gyda Sara a byddai Phil yn dilyn drannoeth ar ôl rhoi trefn ar yr archeb i'r Almaenwyr. Fel y gallwch chi ddychmygu, doedd Mam ddim yn hapus pan glywodd hi hyn a'r cyfan wnaeth y newidiadau munud olaf oedd ategu ei hamheuon am deulu Chloe. A dwi'n amau hefyd fod 'na dwtsh bach bach o genfigen yno pan welodd hi Sara'n gyrru bant a minnau'n codi llaw arni o'r sedd gefn gyda Chloe wrth fy ochr. Ond peth arall yw hwnnw.

Ta beth, fe aethon ni ac fe gyrhaeddon ni'r bwthyn. A dyna'r ail beth: doedd y bwthyn ddim yn Ninbych-y-pysgod ond ar gyrion rhyw bentref ychydig filltiroedd y tu allan i'r dref. Nid bod ots o gwbl am hynny achos roedd y lle'n wironeddol hyfryd, yn neisach o lawer na fflat Dad, ac roedd stafell wely Chloe a fi'n ffab. Roedd hi'n un o'r stafelloedd hynny yn y to lle mae'r nenfwd yn gwyro bron at y llawr a'r ffenest yn isel, isel. Eto, yn fy meddwl cyn mynd, roeddwn i wedi dychmygu man llai unig, rhywle y gallen ni gerdded i'r dref ohono heb ddibynnu ar neb na dim am lifft. Ond anghofiais i am hynny pan aeth Sara mas i'r car a dod 'nôl â llond côl o gêmau bwrdd, y math roedden ni'r Lewisiaid wedi hen roi'r gorau i'w chwarae yn ein cartref ni. Dad fyddai'r un i awgrymu chwarae gêm fwrdd bob amser ond fyddai Mam byth yn frwd iawn, a dros y blynyddoedd collon ni'r arfer.

Ond cyn setlo o flaen y tân agored henffasiwn ar gyfer sesiwn galed o Monopoly (fersiwn Abertawe wrth gwrs!) roedden ni'n gorfod cynnau'r tân agored henffasiwn! Haws dweud na gwneud! A fi, ie fi lwyddodd i gadw'r papur ynghynn a chael y tân i dynnu ar ôl ymdrech fawr. Roeddwn i'n methu credu'r peth. Fi, felly, gafodd y darn mwyaf o deisen siocled roedd Sara wedi'i rhoi ar y bwrdd coffi isel i'n cadw ni'n fodlon drwy gydol yr holl brynu a gwerthu a bargeinio a dadlau ynglŷn ag eiddo. Nid fi, fodd bynnag, enillodd y gêm. Chloe gafodd y fraint honno a dyma esgus am drêt arall. Diflannodd Sara i'r gegin a dychwelyd gyda bag yr un o losin afiach, gwych i ni. A dyna lle roedden ni'n cnoi'r darnau siwgraidd lliwgar ac yn sugno'r pinc a'r gwyrdd a'r melyn llachar pan ganodd mobeil Sara gan ddod â'r prynhawn merchetaidd, perffaith i ben. Phil oedd ar ben arall y ffôn ac wrth glywed ymateb Sara roeddwn i'n gwybod yn syth fod rhywbeth mawr o'i le.

'For God's sake, Phil, how the hell did you manage to do that? You silly sod. Stay there, I'll be with you as soon as I can.'

Doedd dim angen iddi ddweud dim byd arall am fod ei hwyneb yn dweud y cyfan.

'Beth sy'n bod? Beth ma fe wedi'i neud?' gofynnodd Chloe'n betrusgar.

'Ni'n gorfod mynd sha thre, bach. Ma'r diawl twp wedi torri asgwrn yn ei droed.'

'Ond Mam, newydd gyrraedd y'n ni! Sa i'n moyn mynd sha thre 'to!'

'Chloe cariad, 'sneb yn moyn mynd 'nôl ond ma' dy dad yn ishte yn Ysbyty Treforys y funud 'ma â'i droed mewn plaster. Mae'n rhaid inni fynd 'nôl. Nawr, siapa hi!'

'Ond shwt ddigwyddodd e?'

'Paid â gofyn! Roedd e'n helpu un o fois y warws i lwytho bocsys yn barod i hala'r archeb 'na bant i Hamburg ac fe gwmpodd un o' nhw ar ei droed. Elli di gredu shwt beth?'

Roedd wyneb Chloe yn fflamgoch. Gallwn weld y dicter yn cronni o gwmpas ei cheg.

'Wel sa i'n dod a smo Angharad yn dod chwaith, nag y'n ni Angharad?'

Ar hynny, edrychodd Chloe arna i fel petai'n mynnu

fy nghefnogaeth, ond edrychais i ffwrdd. Beth arall allwn i ei wneud? Oeddwn, roeddwn i'n siomedig hefyd, ond doedd dim bai ar neb. Y peth nesaf welais i oedd Chloe'n codi ac yn rhedeg lan llofft gan gau drws y stafell wely'n glep ar ei hôl. Roeddwn i'n teimlo'n lletchwith uffernol am nad oeddwn i erioed wedi gweld fy ffrind yn ymddwyn fel'na o'r blaen a doeddwn i ddim yn adnabod y bobl hyn yn ddigon da i fedru wfftio ffrae deuluol heb deimlo fy mod i'n rhan o'r peth. Felly'r cyfan allwn i ei wneud oedd eistedd yno a cheisio 'ngorau i anwybyddu'r mudandod a oedd yn hofran yn yr awyr fel gwynt cas. Ar ôl ychydig, dringodd Sara'r grisiau pren a diflannu o'r golwg. Roeddwn i dan yr argraff ei bod hi'n rhoi popeth 'nôl yn y bagiau yn barod i fynd adref. Ond na! Ymhen rhyw chwarter awr dyma hi a Chloe'n dod 'nôl i'r lolfa fraich ym mraich ac roedd gwên fuddugoliaethus ar wyneb fy ffrind.

Roedd yr hanner awr nesaf yn llawn prysurdeb wrth i Sara wibio 'nôl ac ymlaen rhwng y car a'r gegin gan ddadlwytho mynydd o fwyd i'r cypyrddau a cheisio cysuro Sophie, chwaer fach Chloe, am nad oedd hi'n cael aros gyda ni. Yna, a nhw ar fin gadael, dyma Sara'n dod i eistedd rhwng Chloe a finnau ar y soffa fawr, gysurus gan blethu ei breichiau drwy ein breichiau ni a'n tynnu tuag ati.

'Ma bown' o fod rhwbeth yn bod arna i 'mod i'n gadel i'r ddwy ohonoch chi aros fan hyn, ar eich pen eich hunen. Ond dwi'n eich trwsto chi, so pidwch â ngadael i lawr. Byddwch yn garcus a bihafiwch.

Unrhyw broblem, ffonwch fi ar unwaith. Chi'n deall? Byddwn ni 'nôl peth cynta bore fory . . . wel, cyn deuddeg ta beth. Ma digon o fwyd yn y gegin . . . pizza, salad, bara, sudd oren. Chi'n gwbod shwt i witho'r ffwrn. Hwra, Chloe, 'ma ugen punt rhag ofon bydd ishe rhwbeth arnoch chi o'r siop. Mae ar agor tan ddeg. Unrhyw broblem, ffonwch fi.'

Ddwy funud yn ddiweddarach, roedd geiriau olaf Sara'n dal i ddiasbedain yn fy nghlustiau wrth i Chloe a fi sefyll o flaen y bwthyn gan godi llaw ar y car mawr a oedd yn mynd yn llai ac yn llai ar hyd y ffordd fach, gul trwy'r pentref. Ar ôl inni fynd 'nôl i mewn i'r bwthyn a chau'r drws ar ein hôl llamodd Chloe i ben y soffa a dechrau neidio lan a lawr.

'Rhyddid! Felly, be' ti'n moyn neud am y pymtheg awr nesa?'

Edrychais arni'n syn a dechreuais chwerthin. Neidiais innau ar y soffa wedyn gan gydio yn ei dwylo, a dyna lle buon ni'n dwy yn neidio lan a lawr fel ffyliaid cyn i Chloe gwympo a glanio ar y mat trwchus o flaen y tân. Syrthiais innau i ddyfnderoedd y soffa fawr, glyd a bu'r ddwy ohonon ni'n chwerthin ac yn chwerthin am amser hir. Hanner awr yn ddiweddarach, ces i neges oddi wrth Mam yn gofyn sut oeddwn i. Roedd hi'n arfer bod mor gyndyn o anfon neges ar ei ffôn ac yn cymryd chwarter awr i hala pedair llinell, ond roedd hi'n well erbyn hyn. Dwi wedi cadw'r neges. Dwi'n ffaelu ei dileu.

Fi sy yma. Wyt ti'n iawm?

Sut mae'r bxthyn? Daeth

ems yma gynnau i ofyn sut

wyt ti. Cyner ofal. Man, xx

Doniol! Anfonais i neges 'nôl yn syth ond wnes i ddim sôn am y ffaith bod Sara wedi mynd adref at Phil. Doeddwn i ddim eisiau rhoi rheswm arall iddi boeni. Wnes i ddim cyfeirio at Ems chwaith. Roeddwn i heb weld Ems yn iawn ers wythnosau, i siarad ag e'n iawn hynny yw, a thrwy weddill y prynhawn roeddwn i'n methu'n deg â'i wthio o'm meddwl. Byddai fe wedi bod wrth ei fodd yn y bwthyn. Ces i 'nhemtio sawl gwaith yn ystod yr awr nesaf i'w ffonio a rhoi'r byd yn ei le fel y bydden ni'n arfer ei wneud, ond wnes i ddim. Penderfynais na fyddai'n briodol imi wneud hynny yng nghlyw Chloe a doeddwn i ddim yn barod am siom arall, ond arhosodd e yn fy meddwl am oriau. Dwi'n dal i weld ei eisiau er gwaethaf popeth sy wedi digwydd.

Pan ganodd ffôn symudol Chloe yn nes ymlaen, crwydrais i draw at ffenest y lolfa a dyna pryd sylwais ei bod hi wedi nosi. Roedd hi'n amlwg yn ôl y siarad taw Sara oedd ar ben arall y ffôn.

'Haia! Shwt ma' Dad?

– Diolch byth am hynny!

– Faint o'r gloch gyrhaeddoch chi?

– Ac am faint o'r gloch y'ch chi'n debygol o gyrraedd fan hyn fory?

– Cofia, Mam, 'sdim eisie ichi ddod fory. Dwi ac Angharad yn iawn. Meddwl am Dad dwi. Fydd dim lot o hwyl arno fe. Sa i'n credu 'i bod hi'n deg tynnu

Dad yr holl ffordd draw i Sir Benfro mor fuan ar ôl y ddamwain.

– Dwi'n gwbod 'ny. Ond Mam, nage plant bach y'n ni!

– Mam! Dwi'n gwbod . . . oreit. Ti wedi gweud 'ny gannoedd o weithie'n barod!

– Oreit. Fe welwn ni chi ryw ben fory. Ta-ra!'

Roedd hi siŵr o fod yn tynnu am wyth o'r gloch pan benderfynon ni fod angen inni fwyta. Aethon ni i'r gegin i weld pa 'ddanteithion' roedd Sara wedi'u gadael. Chawson ni ddim trafferth gweithio'r ffwrn i dwymo'r pizza ac arllwysodd Chloe lond cwdyn o salad parod i bowlen. Llyncon ni'r cyfan, bron. O edrych 'nôl nawr, roedd rhywbeth mor derfynol am y pryd hwnnw ac er bod dros wythnos ers hynny, dwi'n gallu gwynto'r pizza o hyd.

Syniad Chloe oedd mynd am dro i'r siop. Pam, dwi ddim yn gwybod, ond doedd gen i ddim gwrth-wynebiad, a bant â ni ar hyd y ffordd fach, gul tua'r pentref. Roedd popeth yn dawel fel y bedd a dim ond un car aeth heibio yn ystod y deg munud gymerodd hi inni gyrraedd y siop. Roedd hyd yn oed y llond dwrn o fechgyn oedd yn tin-droi ar y pafin mas tu fas yn dawel, a'r cyfan wnaethon nhw wrth inni gerdded heibio iddyn nhw a diflannu trwy ddrws gwydr y siop oedd syllu. Prynais i gan o Sprite a phrynodd Chloe gan o Coke a gadawon ni, ein trip siopa ar ben! Roedd bachgen arall wedi ymuno â'r pedwar ar y pafin erbyn hyn a dyma nhw'n dechrau chwerthin yn chwaraeus pan aethon ni heibio.

'Dere, glou. Anwybydda nhw,' meddai Chloe gan gydio yn fy mraich.

'Welshies! Eh boys, we've got some visitors,' cyhoeddodd y bachgen talaf. 'Rydw i'n dysgu Cymraeg yn yr ysgol,' ychwanegodd. 'Rydw i eisiau . . . what's practise yn Gymraeg?'

Ar hynny, daeth bonllef o chwerthin gan y lleill a chyflymodd y ddwy ohonon ni ein camau.

'Don't be like that. Stopiwch! Come back and talk to us,' meddai un arall oedd yn pwyso ar feic. 'We won't kill you.'

'Listen to 'im. *Stopiwch! O stopiwch*!' gwaeddodd llais arall mewn acen Gymraeg oramlwg cyn i bawb floeddio chwerthin unwaith eto.

'Piss off, Lexy, I'm only tryin' to be friendly. Girls, come back. Fy enw i ydy Garrrrreth, but you can call me Gaz!'

Aethon ni yn ein blaenau 'nôl am y bwthyn heb gymryd fawr o sylw o'r pump oedd yn dal i'n dilyn ar hyd y ffordd gul drwy'r pentref ac allan i gyfeiriad y tŷ unig. Wrth inni agosáu at y bwthyn dechreuon ni gerdded yn gyflymach byth a chyflymodd y bechgyn hefyd. Roedd hi'n amlwg taw dim ond hwyl oedd y cyfan ac aethon ni i mewn i'r tŷ heb edrych dros ein hysgwydd, cau'r drws a thynnu'r llenni. Rhedon ni ar ein hunion i'r llofft a chropian ar ein pedwar at y ffenest isel yn ein stafell wely, heb gynnau'r golau, er mwyn edrych i lawr ar y pump oedd erbyn hyn wedi ymgasglu o flaen y tŷ. Roedden nhw ychydig yn hŷn na ni o ran eu golwg, tuag un ar bymtheg, ac roedd yr un ddywedodd taw Garrrreth oedd ei enw yn wironeddol olygus. Roedd ganddo fe wallt cyrliog, du, bron at ei ysgwyddau ac roedd ei wên . . . *oh my God*! Roedd hi'n gwbl amlwg fod Chloe'n ei ffansïo fel y diawl. Arhoson ni am hydoedd yn pipo arnyn nhw o'r tu ôl i'r llenni, yn methu deall pam roedden nhw'n dal i sefyllian y tu allan. Yna, daeth cnoc ar y drws.

'Anwybydda fe! Paid ateb!' gorchmynnodd Chloe fel pe bawn i ar fin mynd i agor y drws a'u croesawu nhw â breichiau agored.

'Be' ti'n feddwl ydw i?' atebais yn gwta.

Daeth ail gnoc ryw bum munud wedyn, a Chloe oedd yr un aeth i lawr i'r lolfa a dechrau dal pen rheswm â nhw o'r tu ôl i'r drws.

'Come on girls, let us in. It's cold out here,' plediodd eu prif lefarydd.

'Go away before I phone my parents,' atebodd Chloe, ond doedd dim arddeliad yn ei llais. Geiriau er mwyn geiriau oedden nhw ac roedd hynny'n amlwg i bawb. Aeth y gêm yn ei blaen am rai munudau cyn i Chloe agor y drws a herio'r bechgyn. Roeddwn i'n syfrdan, nid yn unig oherwydd yr hyn roedd hi wedi'i wneud ond hefyd am na wnaeth yr un bachgen unrhyw ymgais i ddod i mewn. Yn hytrach, safon nhw o flaen y drws yn gwenu fel lloi gan wthio'i gilydd ac esgus ymladd â'i gilydd ac ymddwyn fel mae bechgyn wastad yn ymddwyn. Aeth y gêm yn ei blaen am rai munudau eto. Roedden nhw'n ddoniol iawn ac nid Chloe oedd yr unig un oedd yn ffansïo Gorgeous Gareth!

Wel, ta beth, daethon nhw i mewn a doedd dim trafferth. Bwyta pizza arall, creision a chnau, lolian ar hyd y lle a siarad. Roedden nhw'n fechgyn neis ofnadwy a diflannodd unrhyw amheuon oedd gen i hyd nes i ddau arall gyrraedd. Ffrindiau Lexy oedden nhw. Roedden nhw'n hŷn na'r lleill ac roedd ganddyn nhw ganiau o lager. Newidiodd y naws o fewn eiliad. Newidiodd y sgwrs a newidiodd ymddygiad y bechgyn eraill. Dwi'n gwybod bod hyn yn swnio'n bathetig ond roedd popeth, popeth yn fy nghorff erbyn hyn, yn dweud wrtha i fod chwarae'n mynd i droi'n chwerw. Triais ddal sylw Chloe – pam, dwi ddim yn gwybod yn hollol – ond doedd hi ddim fel petai'n poeni, felly penderfynais innau hefyd fod popeth yn iawn. Fi oedd yn gorymateb. Dwi'n gwrido wrth feddwl am hynny nawr achos *roedd* popeth yn iawn cyn iddyn nhw ddechrau ysgwyd y lager nes ei fod yn tasgu dros bobman, dros y celfi a'r walydd a dros y peiriant CD. Roedd ofn arna i. Doeddwn i ddim yn gwybod beth i'w wneud. Gareth ddywedodd wrth y lleill am roi'r gorau iddi achos gallai yntau, fel minnau, weld fod pethau'n mynd dros ben llestri. Ond dyma un o'r ddau hŷn, Scott oedd ei enw, yn troi ato.

'Don't be such a dick, Gaz. Chill. We're only havin' a bit of fun!'

Y peth nesaf welais i oedd darn o'r pizza oer yn hedfan drwy'r awyr. Taflodd rhywun arall gneuen, yna un arall ac un arall. O fewn dim roedd hi'n rhyfel agored a darnau o fwyd yn saethu i bobman. Triais ddal sylw Chloe unwaith eto ond roedd hi wedi llwyr

97

ymgolli yn y frwydr fwyd. Es i draw ati a phenlinio ar y llawr o'i blaen hi ac ysgwyd ei braich.

'Mae'n rhaid rhoi stop ar hyn cyn i bethau fynd o ddrwg i waeth.' Ond y cwbl wnaeth hi oedd chwerthin am fy mhen a chwarddodd rhai o'r lleill gyda hi. Dyna pryd y sylweddolais i fod ein cyfeillgarwch ar ben.

Codais a gadael y lolfa heb i neb arall sylwi. Es i lan i'r stafell wely a chau'r drws. Roedd argae o ddagrau'n cronni y tu mewn imi wrth imi godi'r ffôn, a phan glywais i lais Dad ar y pen arall, gorlifodd y cyfan a doeddwn i ddim yn gallu ei reoli. Prin y gallwn i siarad ag e, ond roeddwn i mor, mor falch o glywed ei lais. Doedd gen i ddim cyfeiriad i'w roi iddo, dim ond enw'r pentref, ond dywedodd wrtha i am beidio â becso a bod ganddo fe syniad go lew lle roedden ni. Doedd e ddim yn byw ymhell i ffwrdd.

Ar ôl gorffen siarad â Dad eisteddais â'm cefn yn erbyn y wal wrth ochr y ffenest isel am ryw ugain munud, mae'n rhaid, cyn i'r drws agor. Chloe oedd yno.

'Fan hyn wyt ti. Ti'n iawn?' gofynnodd heb lawer o gonsýrn yn ei llais.

'Beth wyt *ti*'n feddwl?'

'Plîs paid â bod fel'na, Angharad. Dere lawr 'da fi. Dim ond dipyn bach o sbort yw e. Dere.'

Pan ddywedais i fod Dad ar ei ffordd, edrychodd hi arna i â dirmyg ar ei hwyneb cyn iddi ddiflannu mewn tymer a rhedeg i lawr y grisiau at y lleill. Ymhen ychydig clywais i nhw'n gadael a'r drws yn cau, ond arhosodd Chloe lle roedd hi yn y lolfa.

Fe gyrhaeddodd Dad hanner awr ar ôl i fi ei ffonio ac roedd hi'n wyrth ei fod e wedi dod o hyd i'r bwthyn mor hawdd. Pan welais i fe'n sefyll wrth y car y tu fas i'r tŷ roeddwn i am redeg tuag ato a rhoi fy mreichiau amdano, ond wnes i ddim am fod Chloe yno. Pan ddaeth e i mewn a gweld yr annibendod dros bob man ddywedodd e ddim byd, dim ond ein harwain allan o'r bwthyn, diffodd y golau, cloi'r drws ffrynt a cherdded gyda ni at y car.

Ers imi gyrraedd adref dwi wedi chwarae golygfeydd y bwthyn yn fy meddwl gannoedd o weithiau. Fel ffilm iasoer, seicolegol, mae'r noson honno'n mynd rownd a rownd yn fy mhen. Mae'n chwarae gyda fi ac yn fy ngwawdio. Mae'n gwneud sbort am fy mhen. Ai dyna'r gosb am orymateb, am achosi'r ffrwydrad diweddaraf yn hanes ein teulu trafferthus? Da iawn ti, Anji. Difetha popeth unwaith eto. Achos dyna dwi wedi'i wneud.

20

Ers wythnos dwi'n byw mewn byd lle nad oes neb yn siarad â'i gilydd. Dyw Chloe ddim wedi torri gair â fi ers busnes y bwthyn, ond dwi ddim yn poeni'n ormodol. Dwi'n falch, os rhywbeth. Mae'n golygu bod y ffugio drosodd. Mae hi eisoes wedi troi ei golygon at 'ffrind' arall. A llugoer iawn oedd Mam pan ddaeth Sara draw i'r tŷ i ymddiheuro am ein gadael ni yn Sir Benfro ar ein pennau ein hunain. Roeddwn i'n teimlo'n flin amdani i raddau achos roedd hi wedi rhoi cyfle i ni ac roedden ni wedi addo iddi y byddai popeth yn iawn. Ond, unwaith eto, alla i ddim poeni'n ormodol am hynny chwaith. Mae'n rhaid tynnu'r llinell yn rhywle a dechrau symud ymlaen. Gwaeth o lawer i fi yw'r ffaith nad yw Mam a Dad yn siarad â'i gilydd. Hynny yw, maen nhw'n siarad llai hyd yn oed nag o'r blaen!

Pan gyrhaeddon ni adref o Sir Benfro yn ystod oriau mân y bore hwnnw, roedd Dad ychydig bach yn rhy barod i feirniadu Mam fel petai e'n awgrymu taw ei bai hi oedd y cyfan am adael imi fynd, fel petai hi'n anghyfrifol, ond doedd hynny ddim yn deg. Roedd e ychydig bach yn rhy hunangyfiawn ac roedd hi, Mam, ychydig bach yn rhy barod i chwarae rhan y merthyr unig am ei fod yntau wedi mynd i fyw i ran arall o'r wlad. Doedd dim gweiddi na sgrechain fel y byddai yn achos Sara a Phil, mae'n siŵr; wedi'r cwbl, nid dyna steil fy rhieni i. Ond maen nhw'n defnyddio'r holl bennod ych a fi i sgorio pwyntiau pwysig, i geisio profi i'w gilydd fod y naill yn well rhiant na'r llall, ond y cyfan maen nhw'n ei wneud yw fy nefnyddio i fel esgus dros eu ffaeleddau a dwi ddim yn fodlon ar hynny. Dwi ddim yn fodlon o gwbl.

Dwi'n dweud nad oes neb yn siarad â'i gilydd, ond dyw hynny ddim yn hollol gywir. Yng nghanol hyn i gyd, dwi ac Ems wedi claddu'r sbwriel ddaeth rhyngon ni ac alla i ddim pwysleisio digon pa mor falch ydw i.

Ciwio y tu fas i'r labordy Cemeg oedden ni bore ddoe pan ddaeth e ata i a gofyn a oeddwn i'n iawn. Atebais fy mod i'n hollol iawn ond anwybyddodd fy ymdrechion i fod yn ddidaro a chyhoeddi y byddai'n dod i chwilio amdana i amser cinio i siarad go iawn. Ar hynny, dilynodd e'r dosbarth i mewn i'r lab a mynd i eistedd ar bwys Rashid am weddill y wers ddwbl. Mae Rashid ac Ems mor frwd dros Gemeg ac mor dda. Maen nhw'n codi cywilydd ar y gweddill ohonon ni. Ta beth, allwn i ddim rhoi'r gorau i feddwl am y sgwrs frysiog, annisgwyl ag Ems yn y coridor a thrwy gydol y wers roeddwn i'n teimlo'n dda, yn wirioneddol dda fod fy ffrind gorau yn y byd (ie, Ems yw hwnnw o hyd er gwaethaf popeth) yn ddigon craff i weld nad oeddwn i'n iawn, fy mod i ymhell o fod yn iawn.

Wel, fe ddaeth y wers i ben o'r diwedd ac aethon ni

i'r ffreutur am fwyd. Ond roedd hi'n amhosib cael y sgwrs fawr roedden ni wedi gobeithio ei chael am fod Steff a Rashid a rhai o'r lleill yn glynu wrthon ni ble bynnag bydden ni'n mynd. Pan ganodd y gloch ddiwedd amser cinio aethon ni i gofrestru gyda phawb arall, ond pan ganodd hi eto ar gyfer gwersi'r prynhawn llwyddon ni i sleifio drwy gât yr ysgol yng nghanol yr holl fynd a dod a'r anhrefn arferol ac aethon ni'n syth i gaffi Rossi. Trwy lwc, Roberto, mab Mr Rossi'r perchennog, oedd yno ar ei ben ei hun y tu ôl i'r cownter a phan welodd e ni'n cerdded i mewn drwy'r drws anelodd â'i lygaid at ben pella'r caffi a dal ati i wneud cappuccino i ryw fenyw oedd wedi mynd i eistedd wrth un o'r byrddau bach crwn henffasiwn. Un cŵl yw Roberto. Roedd e'n arfer bod yn ddisgybl yn ein hysgol ni rai blynyddoedd yn ôl ac mae e'n fwy amyneddgar na'i dad. Felly, aethon ni i eistedd ym mhen draw'r caffi fel roedd e wedi'i awgrymu gan wybod y bydden ni'n saff rhag llygaid Mr Harris, Pennaeth Blwyddyn Naw, petai e'n digwydd dod ar grwydr fel y byddai'n ei wneud o bryd i'w gilydd.

'Reit, be' sy wedi digwydd?'

Doedd Ems ddim yn un i falu awyr. Roedd ei gwestiwn yn hollol ddi-lol ac felly roedd fy nisgrifiad o'r diwrnod trychinebus yn Sir Benfro yr un mor ddi-lol. Soniais am y bwthyn a chymaint y byddai fe wedi mwynhau bod yno. Soniais am Sara a'i charedigrwydd. Soniais am Chloe ac am fy syndod ynglŷn â sut roedd hi bob amser yn llwyddo i gael ei ffordd ei hun.

Roedd Ems yn llawn cydymdeimlad ond wnaeth e ddim lladd ar Chloe. Wnes innau ddim lladd arni, ond wnes i ddim ei hamddiffyn chwaith, dim ond sôn am yr hyn ddigwyddodd. Siaradais am y 'trip siopa' i'r pentref ac am y bechgyn, a siaradais am Gorgeous Gareth ac yn sydyn roedd gan Ems ddiddordeb anghyffredin ac roedd e'n glustiau i gyd ac eisiau disgrifiad llawn!

'Emyr Richards, ti'n ofnadw!'

'Dim ond holi diniwed,' atebodd yntau.

A dechreuodd y ddau ohonon ni chwerthin fel ffyliaid nes i'r fenyw oedd wedi archebu'r cappuccino edrych draw arnon ni'n feirniadol ac yna ar Roberto. Gwenu wnaeth hwnnw a mynd ati i olchi'r llestri. Ar ôl imi orffen sôn am bopeth symudodd Ems i eistedd wrth fy ochr a thynnodd e fi'n dyner tuag ato. Roedd e'n cydymdeimlo'n llwyr a sylweddolais i'r eiliad honno taw dyna beth roeddwn i wedi'i golli. Dros y misoedd diwethaf roeddwn i wedi gweld eisiau ffrind da. Roeddwn i wedi gweld eisiau Ems.

Yna, gofynnais pam roedd e wedi galw heibio'r tŷ pan oeddwn i yn Ninbych-y-pysgod. Wnaeth e ddim ateb yn syth, dim ond edrych tua'r llawr.

'Ems, gwed rwbeth.'

'Wel, o'n i'n moyn gweud sori wrthot ti am y ffordd dwi wedi bod yn ymddwyn yn ddiweddar . . . o'n i'n moyn gweud sori am fod yn gymaint o dit.'

Edrychais i fyw ei lygaid a chadwais wyneb syth cyn gofyn, 'Ody tit yn treiglo?' a chwalodd ein chwerthin drwy'r lle am yr eildro'r prynhawn hwnnw.

Ar hynny, cododd y fenyw ddiflas a chasglu ei bagiau ynghyd cyn mynd am y drws. Pan dynnodd hi'r drws yn glep ar ei hôl edrychais i draw ar Roberto a gwneud siâp 'sori' â'm gwefusau, ond chwerthin wnaeth hwnnw.

'Ma honna wastad yn achwyn am rwbeth, ta pryd mae hi'n dod 'ma,' galwodd o'r tu ôl i'r peiriant coffi. Ie, un cŵl yw Roberto.

Am y chwarter awr nesaf bu'r ddau ohonon ni'n ymdrybaeddu yn ein hymddiheuriadau i'n gilydd am bopeth nes ein bod mewn perygl o ddechrau mwynhau'r profiad. Yna, gofynnais i Ems a oedd y busnes tecstio wedi dod i ben a throdd e'n ddwys unwaith eto.

'Wel, o'n i heb gael tecst arall fel y rhai cynta 'na ers wthnose, ers wthnose mawr, a gweud y gwir. Ac o'n i wedi dechrau anghofio am yr holl beth achos dwi wedi bod mor fishi. Pan stopon nhw ddod, wel, wnes i jest anghofio amdanyn nhw. Ond wedi 'ny, ces i un arall ac roedd e'n gwmws fel y rhai cynnar.'

'Pryd gest ti fe, Ems?'

'Ar y ffordd adre o dy dŷ di pan alwes i amser o't ti yn Ninbych-y-pysgod 'da Chloe. Doedd e ddim yn neis iawn, yn llawn o'r un hen rybuddion 'to.'

'Ems, mae'n *rhaid* iti ffindo mas pwy sy'n hala nhw. Ti'n deall? Mae'n rhaid iti.'

'Fi'n gwbod . . . ond, y peth yw, sa i'n becso amdanyn nhw ragor ac ma pwy bynnag sy'n eu hala nhw ata i, wel, mae'n mynd i ddanto gwneud a rhoi'r gore iddi rywbryd.'

Ond gallwn weld ar wyneb fy ffrind nad oedd e'n credu'r hyn a ddywedai, a gallwn synhwyro ei fod e'n gwybod fy mod innau'n amau hynny hefyd. Yr eiliad nesaf dyma fe'n codi ac yn cerdded i flaen y caffi i brynu rhywbeth gan Roberto. Roedd yn rhaid iddo newid y pwnc. Pan ddaeth e 'nôl ymhen rhyw funud eisteddodd e gyferbyn â fi y tro hwn a dodi ei ddwylo ar y ford. Yna tynnodd nhw i ffwrdd gan adael Mars lle roedd ei ddwylo wedi bod. Gwthiodd y darn siocled tuag ata i a dweud,

'Nadolig Llawen, Anji . . .'

Edrychais arno'n rhyfedd ac roeddwn i ar fin gofyn pam yn y byd mawr . . . pan ychwanegodd yn frysiog,

'. . . a sori am ofyn i rai o'r criw drama ddod i Abertawe 'da fi y diwrnod hwnnw. Ti'n gwbod, y diwrnod pan o'n ni'n cyfnewid anrhegion 'Dolig. Doedd e ddim yr un peth eleni gyda nhw yno.'

Cydiais yn fy anrheg a llwyddais i dorri'r siocled trwchus yn ei hanner.

Gwenais a rhoi hanner i Ems.

21

Mae pawb wedi sylwi. Mae'n debyg 'mod i'n 'ferch wahanol' y dyddiau 'ma, yn ôl Mam-gu.

'Mae fel byw 'da'r un hen Angharad 'to,' oedd sylw Mam pa ddiwrnod pan oeddwn i'n ei helpu yn y gegin.

Ond sut alla i fod yn 'ferch wahanol' a'r 'un hen Angharad 'to' ar yr un pryd dwi wir ddim yn gwybod, ond dyna fe! Dwi ddim yn mynd i ddadlau â nhw. Yr hyn maen nhw'n trio'i ddweud, dwi'n credu, yw eu bod nhw'n gweld 'mod i'n hapus unwaith eto, ac yn hynny o beth maen nhw'n gywir. Dyw Mam-gu ddim yn gwybod pam eto, wrth gwrs, ond mae Mam yn gwybod. Mae hi'n gwybod bod Ems a fi'n siarad â'n gilydd unwaith eto. Roedd hanner chwant arna i ddweud wrthi y dylai hithau drio gwneud rhywbeth tebyg gyda Dad, ac y synnai hi faint o dda sy'n gallu dod pan fydd dau berson yn gwneud ymdrech i siarad. Ond, os dwi'n onest, mae'n rhy hwyr yn eu hachos nhw. Mae hyd yn oed Rhodri wedi sylwi 'mod i'n hapusach. Mae e'n wirioneddol falch o weld Ems eto. Mae hwnnw'n byw a bod yn ein tŷ ni bellach ac mae Rhodri wrth ei fodd. Ddywedwn i ddim eu bod nhw'n ofnadwy o debyg achos, wedi'r cwbl, mae Ems yn unigryw, ond maen nhw'n adnabod ei gilydd erioed a phan fydd y ddau ohonyn nhw'n mynd mas i'r ardd i gicio pêl ar hyd y lle mae Rhodri'n gallu curo Ems yn rhacs, ac mae hynny'n gwneud gwyrthiau i ego fy mrawd! Yr unig un sydd heb wneud unrhyw sylw yw Catrin (syndod a rhyfeddod!) achos mae honno'n dal i fyw yn ei byd bach ei hunan; hi a'r coc oen. Mae'n ddoniol iawn pan mae e ac Ems yma'r un pryd. Mae'n amlwg eu bod nhw'n methu dioddef ei gilydd. Dwi'n disgwyl Ems unrhyw eiliad.

*

Oh my God! Mae lle ar y diawl wedi bod 'ma! Mae'r boi 'na'n ffiaidd. Mae e'n waeth na ffiaidd a dwi ddim eisiau ei weld e byth eto. Byth! Alla i ddim credu beth sydd wedi digwydd.

Fe gyrhaeddodd Ems a chafodd y croeso mawr arferol gan Mam a Rhodri a fi. Roedd wyneb y coc oen (oedd, roedd hwnnw yma hefyd) fel taran drwy gydol yr holl gofleidio a thynnu coes sy'n rhan o bresenoldeb Ems. Ond roeddwn i'n benderfynol o beidio â gadael i hwnnw sarnu'r prynhawn. Aeth Rhodri i mewn i'r lolfa a dilynodd Ems a fi ac eistedd ar y llawr o flaen y cariadon a dechrau malu awyr. Ar ôl rhyw bum munud diflannodd Catrin a fe lan llofft gan gau drws ei stafell wely'n glep ar eu hôl. Sôn am falch! Newidiodd y naws yn syth. Yn fuan wedyn cyhoeddodd Mam ei bod hi'n mynd i siopa am nad oedd tamaid o fwyd yn y tŷ. Felly, arhosodd y tri ohonon ni yn y lolfa am yn agos i awr mae'n rhaid, yn sgwrsio a chwerthin, cyn i Rhodri ddweud ei fod e'n mynd mas i chwarae gydag un o'i ffrindiau yn y stryd. Ac yn sydyn roedd Ems a fi yno ar ein pennau ein hunain. Dyna pryd y ciciodd ei ffôn ar draws y carped tuag ata i.

'Dwi 'di cael tecst arall,' meddai heb edrych lan. 'Agor e i weld os ti'n moyn.'

Syllais i ar y ffôn a hwnnw'n edrych mor ddiniwed ar ganol y carped.

'Beth mae'n weud?'

'Darllen e.'

'Sa i'n moyn. Alla i ddim,' atebais, ond estynnais am y ffôn, er fy ngwaethaf, ac ar ôl oedi ychydig agorais y neges. Darllenais i'r crap ffiaidd. Roeddwn i'n ysu am ei daflu at y wal ond y cyfan wnes i oedd cau fy llygaid a gostwng fy mhen.

'Beth dwi'n mynd i' wneud, Anji?' Roedd golwg mor drist ar ei wyneb.

'Fe weda' i wrthot ti beth rwyt ti'n mynd i' wneud. Rwyt ti'n mynd i ffindo mas pwy sy'n gwneud hyn. Ffona fe!' A gwthiais y ffôn tuag ato. Arhosodd Ems lle roedd e heb symud gewyn. 'Ffona fe, Ems, nawr!'

'Alla i ddim.'

'Wel, fe ffona i 'te!' a chydiais yn y mobeil a gwasgu'r botymau i ddefnyddio'r rhif. Erbyn hyn roeddwn i'n sefyll ar fy nhraed ar ganol llawr y lolfa a gallwn glywed fy nghalon yn curo fel gordd. Doedd gen i ddim syniad beth fyddwn i'n ei ddweud. Doeddwn i ddim wedi paratoi dim byd, ond roedd hi'n rhy hwyr bellach; gallwn glywed y ffôn yn canu yn fy nghlust.

Ar yr union eiliad, dyma Rhodri'n hyrddio drwy'r drws yn holi pwy oedd wedi bwyta'i greision. Amseru perffaith, fel arfer! Gwaeddais arno i fynd mas. Dechreuodd ffôn ganu'n uchel yn y stafell ac edrychais yn ddiamynedd i gyfeiriad y sŵn gan orchymyn Ems i'w anwybyddu. Daliodd y ffôn i ganu yn fy nghlust a minnau'n ceisio meddwl a chrafangu am eiriau cryf i'w dweud. Ar ôl ychydig daeth hi'n amlwg nad oedd neb yn mynd i ateb a chanslais i'r alwad. Roedd rhyddhad yn gymysg â rhwystredigaeth yn llifo drwy 'nghorff wrth imi roi'r ffôn 'nôl i Ems.

'Mae e'n ormod o gachgi i ateb.'

''Sdim pwynt trio, Anji.'

Ond y cyfan wnaeth ymateb Ems oedd tanio rhywbeth arall yno' i. Roeddwn i'n grac, yn wirioneddol grac a gafaelais yn y ffôn unwaith eto a gwasgu'r botymau am yr eildro o fewn munud. Y tro hwn gwyddwn yn iawn beth roeddwn i am ei ddweud. Clywais i'r ffôn yn canu yn fy nghlust a'r eiliad nesaf, yn union fel y tro cynt, dechreuodd ffôn arall ganu'n uchel yn y lolfa. Edrychais i gyfeiriad y sŵn ac yna ar Ems ac roedd y fath wasgfa yn fy stumog. Gallwn weld y braw a'r anghrediniaeth ar ei wyneb yntau. Doedd dim angen cadarnhad. Doedd dim gwir angen codi'r ffôn arall i wneud yn siŵr, ond dyna wnaethon ni beth bynnag. Cerddon ni draw'n araf i ben arall y lolfa ac yno ar y bwrdd coffi bach, isel wrth ochr cadair Dad, roedd mobeil Ben yn canu ac yn fflachio. Yn fy llaw innau roedd ffôn Ems yn dal i ganu. Syllodd Ems ar yr enw yn y sgrin fach. *Gayboy.* A rhedodd e mas o'r stafell. Rhedodd o'r tŷ a phan lwyddais i'w ddal wrth yr arhosfan ddwy stryd i ffwrdd roedd e'n llefain ac yn crynu.

Ambell waith mae'r gwir yn rhy fawr i fod yn wir. Mae'n rhy anhygoel. Mae'n ormod o beth. Ond allai neb wadu nad oedd dagrau fy ffrind yn rhai go iawn ac mae hynny'n ddigon o dystiolaeth i fi. Pan ddaeth y bws ymhen rhyw chwarter awr i fynd â fe ymhell o wallgofdy fy nghartref, rhywsut, a dwi ddim yn gwybod sut yn hollol, ond rhywsut llwyddais i'w berswadio i beidio â mynd arno. Rhywsut fe lwyddais i'w berswadio i ddod 'nôl i'r tŷ gyda fi er mwyn wynebu'r cythraul a chael diwedd ar yr holl bennod unwaith ac am byth. Ac wrth inni gerdded 'nôl i'r tŷ cynyddai ein hyder gyda phob cam.

Roedd y coc oen yn y lolfa pan gyrhaeddon ni a phan aethon ni i mewn i'r stafell anwybyddodd e ni ar y dechrau. Roedd Catrin yn gorwedd ar y soffa ac edrychodd hi'n gyhuddgar tuag aton ni.

'Odych chi 'di gweld ffôn Ben?'

'Ife hwn yw e?' gofynnais, gan ei daflu ar draws y stafell. 'Mae tecst i ti oddi wrth Ems.'

Edrychodd Ben ar Ems yn gyntaf ac yna arna i.

'Smo ti'n mynd i' ddarllen e?'

'Paid â boddran, Ben. Fe *weda' i* wrthot ti beth mae'n weud,' meddai Ems gan syllu'n syth i'w lygaid. 'Mae'n gweud 'mod i'n gwbod taw ti yw e.'

110

22

Un od yw fy chwaer. Od iawn. Byddech chi'n meddwl y byddai hi eisiau siarad â fi am ein drama fach pa ddiwrnod, a hithau wedi cael ei tharo gan y fath daranfollt. Ond na. Dyw Catrin ddim yn gweithio fel'na. Dyw hi ddim wedi yngan gair wrtha i nac wrth Ems druan. Dwi'n dweud 'Ems druan' ond dwi wedi penderfynu 'mod i'n mynd i ollwng y 'druan' achos nid person i deimlo'n flin amdano yw e bellach. Mae Ems yn wych, yn hollol wych. Fel unrhyw un sydd wedi bod drwy'r felin, mae e wedi dod mas y pen arall gan mil gwaith yn gryfach nag o'r blaen. Bydd e'n iawn a dyw e ddim angen tosturi neb, yn enwedig Catrin.

Dwi ddim yn gwybod beth ddigwyddodd rhwng y cariadon ar ôl i Ems a fi adael y lolfa – a bod yn onest â chi, does dim llawer o ots gen i chwaith. Dwi ddim yn gwybod faint drafodon nhw'r peth a dwi ddim yn gwybod a gyfaddefodd e wrthi, ond y naill ffordd neu'r llall, dyw Ben ddim wedi tywyllu drws cartre'r Lewisiaid ers 'y digwyddiad'. Nawr dyna ichi gyd-ddigwyddiad! Felly, mae rhywbeth yn dweud wrtha i fod y garwriaeth rhwng Big Ben a Chatrin Fawr . . . ar ben! A gwynt teg ar ei ôl e. Digwyddais i gyfeirio at ei absenoldeb wrth Mam gynnau (wel, mae'n rhaid on'd oes?) ac fe wnaeth hi fwy neu lai gadarnhau'r hyn roeddwn i wedi'i amau. Ddywedodd hi ddim eu bod nhw wedi cwpla fel y cyfryw ond roedd hi'n amlwg ei bod hi'n meddwl bod rhywbeth mawr o'i le. Tasai hi ond yn gwybod!

Yr unig beth o blaid fy chwaer drwy hyn oll, wrth gwrs, yw ei bod hi'n annhebygol iawn, iawn bod ganddi ran yng ngêm ffiaidd ei chyn-gariad. Dwi'n gwybod ei bod hi'n od ond dyw hi ddim yn wyrdroëdig. Ac os gwir eu bod nhw *wedi* gorffen gyda'i gilydd, o leiaf mae hi'n haeddu cael ei chanmol am wneud rhywbeth pendant ynglŷn â'r mater, yn hytrach na gadael i'r peth bydru'n araf, fel sy'n arferol yn y teulu bach cytûn. (*God*, Angharad, rwyt ti'n dechrau rhoi gormod o chwarae teg iddi!) Ond o nabod Catrin, mae hi siŵr o fod wedi defnyddio'r argyfwng diweddaraf 'ma fel esgus i gael ei wared e achos dyw hi ddim i'w gweld yn torri'i chalon ar ei ôl.

A dweud y gwir, yn gyffredinol, does neb yn torri'i galon mwyach yn ein teulu ni. Ac nid sôn am Ben ydw i ond am ein ffordd newydd o fyw. Mae'r chwe mis diwethaf wedi troi'n norm erbyn hyn ac mae pawb wedi hen ddysgu sut i dderbyn y patrwm newydd. Heno bydd Dad yn dod 'nôl am y penwythnos a nos Sul aiff e adref eto i Aberdaugleddau. A bydd e a Mam yn esgus byw am benwythnos arall gan adael i bopeth rygnu ymlaen. Ond eu problem nhw yw honno.

Dyfalwch ble dwi'n mynd fory! Dwi'n mynd i dorri 'ngwallt a dwi'n mynd i fod yn hollol fentrus. Yn ôl Ems, mae eisiau delwedd newydd arna i, a dwi'n credu ei fod e'n iawn.